Nuevo
Avance 3

Concha Moreno | Victoria Moreno | Piedad Zurita

Español Lengua Extranjera

SGEL

Primera edición: 2010
Tercera edición: 2013

Produce: SGEL - Educación
Avd. Valdelaparra, 29
28108 ALCOBENDAS (MADRID)

© Concha Moreno
Victoria Moreno
Piedad Zurita

© Sociedad General Española de Librería, S. A, 2010
Avd. Valdelaparra, 29. 28108 ALCOBENDAS (MADRID)

ISBN: 978 - 84 - 9778 - 532 - 7 (versión internacional)
ISBN: 978 - 84 - 9778 - 533 - 4 (versión Brasil)
Depósito Legal: M-21229-2010
Printed in Spain – Impreso en España

Edición: Ana Sánchez, Yolanda Prieto
Cordinación editorial: Javier Lahuerta
Cubierta: Track Comunicación (Bernard Parra)
Maquetación: Track Comunicación (Bernard Parra)
Ilustraciones: Gonzalo Izquierdo, Quino Marín
Fotografías: Shutterstock, Concha Moreno, Piedad Zurita
Impresión: Gráficas Rógar, S. A.

Presentación

Nuevo Avance es fruto de una larga experiencia docente y cuenta con la garantía de los miles de estudiantes que a lo largo de todos estos años han trabajado y aprendido con él. Renovado de acuerdo con los tiempos, se adapta al Marco común europeo de referencia y recoge las directrices del Plan Curricular del Instituto Cervantes, teniendo siempre muy presente la realidad de lo que ocurre en el aula. Todo ello se refleja en la forma en la que se han distribuido los contenidos y las variadas prácticas correspondientes.

Su nuevo formato, de tamaño mayor, posee más ilustraciones, que lo hacen más atractivo tanto para el profesorado como para el alumnado. Entre sus novedades está la grabación de los *Pretextos*, de algunas actividades de los *Contenidos gramaticales* y de *las funciones comunicativas*, lo cual será una gran ayuda tanto en el aula como fuera de ella; de este modo, el estudiante dispondrá siempre de un excelente material para escuchar y repetir cuando trabaja en solitario.

Una vez superados los niveles inicial y básico con el A1 y el A2, entramos en el nivel **intermedio**, englobado en el **B1**. Cualquier docente experimentado sabe que este nivel es el que más contenidos abarca, ya que no solo hay que seguir avanzando con todo lo nuevo, sino que exige consolidar lo anterior. Por ello, en *Nuevo Avance* hemos dividido el **B1** en dos bloques: **B1.1.** y **B1.2.** La cantidad y variedad de contenidos, así como su secuenciación, permiten una progresión adaptada a las necesidades personales y a las del contexto educativo.

Su estructura

Consta de seis unidades. Cada una se compone de las siguientes secciones:

Pretexto

Se introducen de forma visual y reflexiva los contenidos y temas que se trabajarán posteriormente.
Las imágenes van reforzadas por las grabaciones correspondientes.

Contenidos gramaticales

A partir de este nivel se presentan separados de los contenidos funcionales y léxicos. Aparecen dos por unidad y hemos procurado que haya equilibrio entre ambos. Llamamos la atención sobre el hecho de que los contenidos que tienen relación con los vistos en el nivel A1 o el A2, van precedidos de ejercicios de repaso y de reflexión antes de abordar su ampliación.

Practicamos los contenidos gramaticales

Avanzamos hacia la fluidez partiendo de una práctica controlada para fijar estructuras, no solo gramaticalmente correctas, sino también adecuadas pragmáticamente.
En este nivel, la tipología de las prácticas se ha enriquecido, pero mantenemos la diferencia entre las destinadas a consolidar las estructuras y las destinadas a la práctica semiguiada y libre. La forma en que están creadas favorece la expansión de las mismas si se considera oportuno.

Contenidos léxicos

Con espacio y atención independiente dentro del conjunto de la unidad, los contenidos léxicos se presentan unidos a documentos reales y con gran despliegue visual. Jugamos con los conocimientos previos del alumnado y propiciamos estrategias de inferencia antes de pasar al trabajo concreto.

Practicamos los contenidos léxicos

Con las propuestas presentadas empezamos a atender los diferentes planos de las palabras: el lingüístico; el discursivo; el referencial y el pragmático. Para la práctica proponemos juegos, el uso contextualizado de los nuevos términos, los mapas conceptuales, las definiciones, las asociaciones, la referencia a la propia lengua, etc.

De todo un poco

Apartado destinado a la profundización de todas las destrezas.

La expresión oral que impregna el material desde el *Pretexto* se practica en las secciones **Interactúa**, dedicada a la interacción, y **Habla**, orientada a la exposición personal. La comprensión auditiva que se va afianzando con las grabaciones de pretextos y prácticas se refuerza con dos **Escucha**. En uno de ellos, retomamos y ampliamos las funciones comunicativas y damos un especial énfasis a los contenidos socioculturales y pragmáticos. Ambas audiciones permiten, no solo desarrollar la comprensión, sino que son pretexto para seguir interactuando. Mantenemos las secciones destinadas a la **lectura** y la **escritura**, pero ampliando la tipología textual reforzando lo ya practicado.

Una vez más, perseguimos la coherencia de toda la unidad, relacionando los contenidos presentados con las prácticas, que han sido estudiadas en su variedad y objetivos para que los estudiantes, usuarios de la lengua como agentes sociales, activen sus recursos cognitivos y afectivos, sin olvidar que el uso de todas sus estrategias y competencias los conducirán a la acción.

Pretendemos que al terminar este nivel el/la estudiante deje de ser usuario dependiente y empiece a ser usuario independiente.

Repasos

Cada dos unidades se presentan:
- Actividades dedicadas al repaso de las destrezas.
- Ejercicios recopilatorios de elección múltiple.

El manual se completa con varios **Apéndices**:
- Gramatical
- Trascripción de las audiciones
- Léxico
- Ejercicios y actividades extra

Agradecemos una vez más la buena acogida que desde 1995 (fecha de aparición del primer *Avance*) ha tenido nuestro trabajo y que nos ha llevado a crear este nuevo manual compuesto de seis niveles: A1, A2, B1.1, B1.2, B2.1 y B2.2.

Las autoras

Índice

Tabla de contenidos

REPASO: Unidades 1 y 2

UNIDAD 3
La medida del tiempo

Contenidos temáticos
- *Calendarios y relojes.*
- *Actividades que están y no están de moda.*
- *Revistas de moda.*

Contenidos gramaticales
- *Repaso de los pretéritos perfecto, indefinido e imperfecto.*
  - *• Contrastes de significados.*
- *Repaso de los pronombres de objeto directo e indirecto.*
- *Los pronombres de objeto directo e indirecto agrupados.*

Contenidos léxicos
- *El tiempo, calendarios y relojes.*
- *La ropa y los complementos.*
- *Actividades de moda.*

Contenidos funcionales y socioculturales
- *Contar historias.*
- *Hacer entrevistas.*
- -
- *Las revistas de moda.*

Contenidos pragmáticos
- *Fórmulas para mostrar enfado.*
- *Recursos para preguntar si alguien sabe algo y responder afirmativa y negativamente.*
- *Mostrar desacuerdo.*

Tipología textual
- *Texto dialógico:*
  - *• Interacciones breves.*
  - *• Preguntas de respuesta abierta.*
  - *• Conversación con un extraterrestre.*
  - *• Entrevistas.*
- *Monólogo:*
  - *• Explicar una historieta.*
- *Texto descriptivo:*
  - *• Un sueño.*
- *Texto narrativo - descriptivo:*
  - *• La vida en el campo y la ciudad.*
- *Texto expositivo:*
  - *• Los relojes.*
  - *• TBO.*
  - *• Juego: la Oca.*

UNIDAD 4
Vamos a contar historias

Contenidos temáticos
- *Anécdotas.*
- *Cuentos tradicionales.*
- *Los viajes Erasmus.*

Contenidos gramaticales
- *Repaso de los pretéritos estudiados hasta ahora.*
- *Pluscuamperfecto de indicativo.*
- *Ortografía y fonética.*

Contenidos léxicos
- *Colores, clima y paisaje.*
- *Fenómenos atmosféricos.*
- *Trabalenguas.*

Contenidos funcionales y socioculturales
- *Contar anécdotas.*
- *Contar cuentos.*
- *Preguntar y expresar opiniones.*
- -
- *Cuentos tradicionales.*

Contenidos pragmáticos
- *Atenuar las opiniones.*

Tipología textual
- *Textos dialógicos:*
  - *• Interacciones breves.*
  - *• Conversación entre amigos.*
  - *• Entrevistas breves.*
- *Monólogo:*
  - *• Describir una historieta.*
- *Textos narrativo – descriptivos:*
  - *• La historia de un robo.*
  - *• Los cuentos.*
  - *• La casa misteriosa.*
- *Avisos, anuncios y mensajes.*
- *Chistes gráficos.*

REPASO: Unidades 3 y 4

UNIDAD 5
Los espectáculos

Contenidos temáticos
- *Los espectáculos.*
- *El cine español.*
- *Actividades culturales.*
- *Los payasos y su función social.*

Contenidos gramaticales
- *Introducción al subjuntivo:*
  - *Presentes de subjuntivo: verbos regulares y algunos irregulares.*
  - *Verbos de sentimiento +* que *+ presente de subjuntivo.*
  - *Verbos de influencia +* que *+ presente de subjuntivo.*
- *La acentuación.*

Contenidos léxicos
- *Espectáculos y actividades culturales.*
- *Verbos que expresan sentimientos e influencia.*

Contenidos funcionales y socioculturales
- *Expresar preferencias.*
- *Invitar a alguien a algo: aceptar o rechazar invitaciones.*
- -
- *Comportamiento del público en el cine.*

Contenidos pragmáticos
- *Atenuar/justificar el rechazo.*
- *Aceptar con reservas.*
- *Mostrar la actitud del hablante hacia su interlocutor o frente a los hechos.*

Tipología textual
- *Textos dialógicos:*
  - *Interacciones breves.*
  - *Debate dirigido.*
- *Texto descriptivo:*
  - *Me gusta el cine.*
- *Texto literario:*
  - *Poema.*
- *Monólogo:*
  - *Describir un fotograma.*
  - *Hablar sobre un concierto.*
- *Textos informativos:*
  - *Teatralia.*
  - *Payasos sin fronteras.*
  - *Carteleras de espectáculos.*

UNIDAD 6
La diversidad es nuestra realidad

Contenidos temáticos
- *La inmigración. Los nuevos españoles.*
- *Un día normal en tu vida.*
- *La gastronomía.*

Contenidos gramaticales
- *Presentes de subjuntivo: verbos irregulares.*
- *Verbos de entendimiento, lengua y percepción («de la cabeza») +* que *+ indicativo /subjuntivo.*
- *Ser/Estar + sustantivo/adjetivo/adverbio +* que *+ indicativo/subjuntivo.*
- *Las preposiciones que expresan lugar y tiempo. Repaso y ampliación.*

Contenidos léxicos
- *Verbos para expresar percepción; opinión, etcétera.*
- *Platos típicos de diferentes regiones españolas e hispanoamericanas.*
- *Recipientes y utensilios de cocina.*

Contenidos funcionales y socioculturales
- *Dar o no dar la razón a alguien.*
- *Hablar de la cocina de cada país.*
- -
- *Platos típicos.*

Contenidos pragmáticos
- *Atenuar las creencias* (creo, me parece...).
- *Afirmar que otro tiene / no tiene razón.*

Tipología textual
- *Textos dialógicos:*
  - *Interacciones breves.*
  - *Comentarios y reacciones.*
  - *Debate dirigido.*
- *Texto dialógico-informativo:*
  - *Entrevistas.*
- *Texto expositivo-argumentativo:*
  - *Diferencias entre mi país y los que conozco.*
- *Texto narrativo-descriptivo:*
  - *Españoles en América.*
- *Textos informativos:*
  - *Una receta de cocina.*
  - *Carteles.*

REPASO: Unidades 5 y 6

Unidad Preliminar

¿Recuerdas? Todo esto lo has aprendido ya.
Ahora vas a comprobarlo.

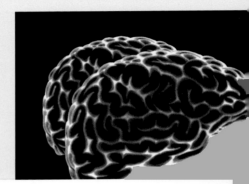

1 Interactúa.
Regreso del futuro.

1 Dividir la clase en equipos.
2 Cada equipo viajará al futuro y volverá para contar lo que ha visto. Hay que apuntarlo en el cuaderno.
3 Al volver, cada equipo explicará a la clase cómo será ese futuro que «ha visto».

GRUPO A	GRUPO B
En el futuro que hemos visto los seres humanos tendrán dos cerebros.	

2 Escucha.

a Antes de escuchar, lee este texto.

Detalle del cuadro «La cosecha» de Brueghel el Viejo.

Los españoles y la siesta

El 24% de los españoles duerme la siesta; el 56% lo hace únicamente de vez en cuando. Además, un 10% de los españoles afirma que no puede dormir la siesta porque no tiene tiempo o porque trabaja fuera de casa. Y es que nadie duda de que la siesta es buena para la salud y el rendimiento en el trabajo o en los estudios.

b La reportera de Onda Meridional ha salido a ♪)¹
preguntar a varias personas si duermen la siesta.

c Y ahora expresa tu opinión sobre la siesta y compárala con las de tus compañeros/as.

Después de escuchar contesta si es verdadero o falso.

a	El primero no puede dormir la siesta en silencio.	V	F
b	Para el chico, la siesta es necesaria en épocas de muchas horas de estudio.	V	F
c	La señora duerme la siesta en el sofá los domingos.	V	F
d	La siesta no es una buena costumbre española.	V	F

3 Habla.

¿Aventurero/a o turista?

Si te dan a elegir ¿qué prefieres?
Comenta con tus compañeros/as.

• Un viaje a Roma
• Un viaje organizado
• Un hotel de cinco estrellas
• Visitar monumentos
• Comer en buenos restaurantes
• Llevar una maleta con ruedas
• Saber lo que vas a visitar
• Hacer compras
• Tener billete de ida y vuelta
• Hacer fotos de todo

• Un viaje a Tanzania
• Un viaje por tu cuenta
• Una cabaña en el desierto
• Hacer un safari
• Comer con los habitantes de una tribu
• Llevar una mochila
• Lanzarte a la aventura
• No saber cuándo vas a volver
• Hacer cosas que no están preparadas
• Disfrutar del sol, de la luna, de la brisa

**Las respuestas de la primera columna describen al turista;
las de la segunda columna describen al aventurero.**

Tanto si eres un/a aventurero/a como si eres un/a turista, lo importante
es viajar por el mundo con libertad; descubrir sitios y personas nuevas y
disfrutar de todo el tiempo que dedicas a viajar.

4 **a Lee.**

Querida Pilar:

Gracias por recomendarme este viaje. Todo es maravilloso. Yo también tuve la suerte de ver el Aconcagua desde el avión. ¡Qué espectáculo!
Buenos Aires me encantó. Vimos muchísimo: Caminito, la Boca, el centro, Puerto Madero y las modernas construcciones al otro lado del río, la Plaza de Mayo, la casa Rosada... Lo pasamos estupendamente.
Pero lo mejor de todo, como dijiste, Pilar, es el glaciar Perito Moreno.
Para empezar, hizo un día magnífico. Bordeamos el lado argentino y así pudimos ver el glaciar por primera vez. Estuvimos viéndolo media hora. Después volvimos a verlo desde un barco. Contemplar todo ese hielo durante una hora y escuchar el ruido que hace es algo muy difícil de olvidar.
Durante todo el viaje estoy conociendo a italianos, argentinos y chilenos. Nos hemos dado nuestros correos electrónicos para intercambiar fotos y recuerdos.
Llego dentro de una semana, así es que recibiréis la postal, quizá, después de mi llegada.

Un abrazo muy fuerte para ti y para Miguel.
Jaime

b Di si es verdadero o falso.

		V	F
a	Pilar ha hecho ese viaje antes que Jaime.	V	F
b	Cuando el avión atravesó el Aconcagua no había buena visibilidad.	V	F
c	Jaime ha visitado solamente espacios naturales.	V	F
d	Lo que más le ha gustado del viaje a Jaime hasta el momento ha sido el glaciar.	V	F
e	En total vieron el glaciar durante una hora.	V	F
f	Probablemente Pilar recibirá la postal de Jaime después de su llegada.	V	F

5 Escribe.

a Mira y lee este anuncio que has encontrado en la escuela.

**EXCURSIÓN
A SIERRA NEVADA.**
HAY MUCHA NIEVE. SI QUIERES VENIR,
ESTOY EN LA SALA DE ALUMNOS EN LA
PAUSA PARA DAR INFORMACIÓN.
ME LLAMO ANNIKA.

b A ti no te gusta esquiar. Escribe un anuncio parecido para proponer una excursión a un lugar menos frío. Debes explicar el horario, el medio de transporte, el número mínimo de participantes, el precio y las actividades que vais a realizar.
¡Buen viaje!

6 Elige la respuesta adecuada.

1 Cuando alguien habla muy rápido dices:
_____.
a. Más despacio, por favor
b. Puede hablar más alto

2 Cuando quieres ir a un lugar y no sabes cómo se va, preguntas: _____
a. ¿Para vamos a...?   **b.** ¿Para ir a...?

3 ● ¿_____ es la capital de España?
▼ Madrid.
a. Qué   **b.** Cuál

4 ● ¿Dónde _____ un banco?
▼ En la segunda calle a la derecha.
a. hay   **b.** está

5 ● ¿A qué te _____?
▼ Trabajo en la oficina de Turismo.
a. trabajas   **b.** dedicas

6 ● ¿_____ fumar aquí?
▼ Lo siento, está prohibido.
a. Podemos   **b.** Puedes

7 ● ¿Qué _____ el fin de semana pasado?
▼ _____ con unos amigos a Potosí.
a. hiciste / Iba   **b.** hiciste / Fui

8 ● ¿_____ Salamanca?
▼ Monumental.
a. Qué está   **b.** Cómo es

9 ● ¿_____ quieres el helado?
▼ De fresa.
a. De qué   **b.** A qué

10   Antonio está _____ la escuela.
  a. en   **b.** a

11   La señora Cortina está _____ vacaciones.
  a. de   **b.** en

12   El hijo de mi hermano es _____ .
  a. mi sobrino   **b.** mi primo

13   Cuando escribimos una carta, la metemos en un _____ .
  a. sobre   **b.** sello

14   Si vas a un concierto, necesitas _____ .
  a. un billete   **b.** una entrada

15   Todas las mañanas paseo _____ la playa.
  a. por   **b.** a

16   _____ clima del norte de España _____ húmedo.
  a. La / está   **b.** El / es

17   Irene vive _____ cerca de su trabajo.
  a. mucho   **b.** muy

18   ¿Ha visto _____ mis gafas?
  a. algún persona   **b.** alguien

19   No hay _____ de pan en la cocina.
  a. nada   **b.** algo

20   A Alfredo _____ encanta tocar la guitarra.
  a. se   **b.** le

21   ● ¿Va a venir Fernando a cenar?
  ▼ _____ .
  a. Creo sí   **b.** Me parece que no

22   Para _____ la clase de filosofía _____ muy interesante.
  a. mí / es   **b.** yo / está

23   ● ¿Crees que Elisa ha comprado el regalo?
  ▼ _____ .
  a. Tengo ni idea   **b.** Ni idea

24   Camarero, por favor _____ cerveza.
  a. otra   **b.** una otra

25   ● ¿Conoces _____ país centroamericano?
  ▼ No. No conozco _____ .
  a. algún / ninguno **b.** alguno / alguno

26   A las 12:00 _____ a la escuela para recoger el certificado.
  a. tengo ir   **b.** debo ir

27   ¿Quién _____ cómo se hace la paella?
  a. conoce   **b.** sabe

28   Hoy _____ mi nuevo jefe.
  a. he conocido a
  b. he encontrado

29   Adela _____ del viaje muy _____ .
  a. ha volvido / casada   **b.** ha vuelto / cansada

30   ● ¿Y las gafas?
  ▼ _____ tengo en mi bolso.
  a. Las   **b.** Los

31   Los calcetines de Eduardo son _____ .
  a. azul   **b.** azules

32   *(En una tienda de ropa)*
  El vendedor: ¿ _____ tiene usted?
  a. Qué talla   **b.** Qué tamaño

33   ● ¿ _____ el piso que te has comprado?
  ▼ Junto a la estación de autobuses.
  a. Dónde está   **b.** Adónde es

34   ¿ _____ países se produce café?
  a. Cuáles   **b.** En qué

35   ● ¿Qué te parece el nuevo apartamento de Lucas?
  ▼ _____ .
  a. Está muy bien   **b.** Es muy bien

36   Camarero, por favor, ¿nos trae _____ ?
  a. la nota   **b.** la cuenta

37   ● Me encanta el frío.
  ▼ Pues a mí _____ .
  a. no   **b.** tampoco

38   ● Como muy despacio.
  ▼ _____ .
  a. Mí, también   **b.** Yo no

39   La gente de la oficina _____ enfadada porque no hay refrigeración.
  a. está   **b.** son

40 ● ¿Vas a terminar el informe para las 20:00?
▼ _____ .
a. No soy segura   b. Creo que no

41 Si quiere ahorrar dinero, _____ ahora y _____ después.
a. compre / pague   b. compra / paga.

42 Las cosas viejas se ponen en _____ .
a. los cuartos de baño   b. los trasteros

43 ● Lucía y Jordi han abierto un restaurante.
▼ _____ , ¡vaya sorpresa!
a. ¡Venga!   b. ¡No me digas!

44 ● ¿ _____ el lápiz?
▼ ¡Claro que sí!
a. Me pides   b. Me prestas

45 ● Yo _____ por las mañanas para despertar _____ .
▼ ¿Ah, sí? Yo prefiero _____ por las noches para relajar _____ .
a. me ducho / me / bañarme / me
b. me lavo / se / ducharme / se

46 ● ¿Por qué no _____ esos vaqueros?
▼ Es que nunca _____ vaqueros.
a. te lavas / me visto   b. te pruebas / me pongo

47 ● No _____ con los compañeros de trabajo.
▼ Pues a mí mis compañeros _____ . Son muy simpáticos.
a. me llevo bien / me caen bien
b. me gustan / me encantan mucho

48 ● He perdido el avión _____ levantarme tarde.
▼ Es que _____ levantarse pronto hay que poner el despertador.
a. por / para   b. para / para

49 ● Toma, este paquete es _____ (tú).
▼ ¿ _____ (yo)?
● Sí, _____ tu cumpleaños.
a. por mí / Por mí / para
b. para ti / Para mí / por

50 ● ¿A qué hora podemos vernos?
▼ ¿Qué _____ a las 10:00 en mi despacho?
a. le parecen   b. le parece

51 ● ¿Qué _____ la gente cuando no _____ teléfonos móviles?
▼ _____ menos y los teléfonos nunca _____ en los restaurantes o en los trenes.
a. compraba / había / Sonaba / llamaba
b. hacía / había / Llamaba / sonaban

52 ● Cuando viajo siempre llamo al _____ para _____ la habitación.
▼ Yo, también, sobre todo _____ .
a. ascensor / reservar / en temporada baja
b. hotel / reservar / en temporada alta

53 ● ¿Vamos al cine este fin de semana?
▼ Muy bien, ¿ _____ ?
a. adónde nos quedamos
b. dónde quedamos

54 ● Las _____ magnéticas de los hoteles son más seguras, pero si las llevas al lado del móvil pueden estropearse fácilmente.
▼ Es verdad. A mí me pasa mucho.
a. llaves   b. puertas

55 El Ecuador es un país de _____ .
a. América Central   b. América del Sur

56 ● Ayer _____ con mi amigo más de dos horas.
▼ ¿Le _____ toda tu vida o qué?
a. hablaba / contabas
b. hablé / contaste

57 ● ¿Quién _____ eso de *Llegué, vi y vencí*?
▼ Creo que _____ Julio César.
a. decía / era   b. dijo / fue

58 Titicaca es un _____ que está en América del _____ .
a. río / Centro   b. lago / Sur.

59 ● ¿Sois amigos _____ mucho tiempo?
▼ Sí, _____ en el colegio y siempre hemos tenido muy buena relación.
a. hace / nos conocimos
b. desde / nos encontramos

60 Mi vida _____ cuando el oftalmólogo me _____ gafas y _____ a ver las cosas claramente.
a. cambió / ponió / empezé
b. cambió / puso / empecé

1

La ciudad es mi planeta

Al terminar esta unidad serás capaz de...

• Expresar deseos.

• Dar consejos.

• Expresarte con cortesía.

• Expresar probabilidad en pasado.

• Entender y hablar sobre la conservación del medio ambiente y de las técnicas adecuadas para la reutilización y el reciclado.

1. Pretexto

MINISTERIO DE MEDIO AMBIENTE
¿Seguiremos así?

CON TU AYUDA PODREMOS

SALVARLO

Para mí, una ciudad ecológica sería pequeña. Los edificios no serían muy altos, estarían bien orientados y habría paneles solares en todos los tejados. Los vecinos tendrían que poner plantas en todas las terrazas y balcones. Anualmente se celebraría un concurso de plantas y se daría un premio a la más bonita. Pondría un carril para las bicis por donde los ciclistas podrían circular sin peligro y prohibiría el tráfico por el centro, excepto para los vecinos, taxis, autobuses y ambulancias, que circularían lentamente. Y funcionaría un tranvía eléctrico. Habría espacios verdes en cada barrio, donde los niños jugarían al aire libre, los mayores se sentarían en los bancos, los jóvenes se reunirían con sus amigos y todos podrían hacer deporte. Potenciaría un pequeño comercio que recuperaría el trato humano entre vendedores y clientes.
¿Pido demasiado?

1 **Escucha, lee y contesta.**
a ¿Qué tipo de energía se propone?
b ¿Cada cuánto tiempo tendría lugar el concurso de plantas?
c ¿Qué vehículos podrían circular por el centro?
d ¿A qué tipo de comercio se ayudaría?

2 **Y ahora reflexiona.**
a Enumera las palabras relacionadas con la ciudad.
b ¿Qué elementos ecológicos aparecen en el texto?
c Subraya las formas verbales. ¿A qué otro tiempo te recuerdan?
d ¿Podrías decir cómo se forma este nuevo tiempo verbal?

3 **Habla.**
a ¿Te gustaría vivir en una ciudad como esta?

2. Contenidos gramaticales

En el Pretexto has visto el condicional. Su formación recuerda al futuro.
¿Te acuerdas del futuro? Completa estos diálogos para comprobarlo.

1 ● Te (volver a llamar, yo) *volveré a llamar* dentro
    de un rato.
   ▼ De acuerdo. Entonces ya (tener, yo) _____
    la información que necesitas.

2 ● ¿Quién es esa chica alta y morena que va con
    tu hermano?
   ▼ (Ser, ella) _____ Alejandra, una compañera
    de clase.

3 ● Creo que tu hija (ser) _____ una gran
    bailarina.
   ▼ Yo también lo creo porque se mueve muy bien.

4 ● ¿Dónde está Maruja? La he buscado por algunos
    despachos y no la encuentro.
   ▼ (Estar, ella) _____ desayunando.

5 ● Dentro de unos años no (haber) _____
    ni televisores, ni vídeos, ni ordenadores; (haber)
    _____ un único aparato electrónico en todos
    los hogares.
   ▼ Y otras muchas cosas que ahora no podemos
    imaginar.

6 ● Si comes tanto, (doler, a ti) _____
    el estómago.
   ▼ ¡Pero si no estoy comiendo mucho!

1 El condicional.

> **Se forma con el infinitivo + las terminaciones -ía / -ías / -ía / -íamos / -íais / -ían**

a Ahora, termina de conjugar estos verbos.

hablar-**ía**	comer-**ía**	subir-**ía**
hablar-**ías**	comer-**ías**	subir-
hablar-**ía**	comer-**ía**	subir-
hablar-**íamos**	comer-	subir-
hablar-**íais**	comer-	subir-
hablar-**ían**	comer-	subir-

Condicionales irregulares. Se forman a partir del futuro.
Completa las formas que faltan.

Pierden la **-e**:	Pierden una vocal y una consonante:	Pierden una vocal y añaden una **-d**:
Quer**er**: querr**ía**	Ha**cer**: har**ía**	Pon**er**: pondr**ía**
querr**ías**	har**ías**	pondr-
querr**ía**	har**ía**	pondr-
querr**íamos**	har-	pondr-
querr**íais**	har-	pondr-
querr**ían**	har-	pondr-

b ¿Recuerdas qué verbos pertenecen a cada grupo?

*¿**Podría** repetir la pregunta?*
*¿Me **harías** un favor?*

Usamos el condicional para:

a Dar consejos con fórmulas de obligación.

> ***Deberías** trabajar menos y salir más.*
> ***Tendrías** que contar a la policía lo que ha ocurrido.*

b Expresar deseos.

> ***Sería** estupendo vivir en un mundo sin contaminación y con agua para todos.*
> ***Nos apetecería** hacer un largo viaje por toda Hispanoamérica.*

c Hablar con cortesía.

> *¿**Podría** explicar este ejercicio de nuevo?*
> *¿**Le importaría** volver más tarde?*

> **RECUERDA**
>
> El imperfecto también se usa
> para ser más amables.
> *(En una tienda)*
> ● *Buenos días, ¿qué **deseaba**?*
> ▼ ***Quería** probarme ese vestido.*

d Expresar inseguridad/probabilidad cuando la acción está en pretérito imperfecto o en pretérito indefinido.

Ya sabes que para expresar inseguridad y probabilidad en presente usamos el futuro. Completa para comprobarlo.

	Seguridad	Inseguridad/Probabilidad
¿Cuándo es el cumpleaños de Analía?	***Es** el mes que viene.*	***Será** el mes que viene porque es Acuario.*
¿Por qué llora Lucía?		
¿Dónde está mi paraguas?		

Y ahora, mira cómo funciona con los pasados.

	Seguridad	Inseguridad/Probabilidad
¿A qué hora te llamaron?	***Me llamaron** a las 10:00 h.*	***Me llamarían** a las 10:00 h.*
¿Qué le pasaba ayer a Ana?	*Le **dolía** la espalda.*	*Le **dolería** la espalda.*

RECUERDA

Seguridad	Inseguridad/Probabilidad
Presente	Futuro
Pretérito imperfecto	Condicional
Pretérito indefinido	Condicional

2 Adverbios y locuciones adverbiales.

DE LUGAR
aquí, ahí, allí
arriba / abajo
cerca / lejos
delante / detrás
encima / debajo
enfrente

DE MODO
bien, regular, mal
despacio / deprisa
la mayoría de los terminados en *-mente**

DE CANTIDAD
más / menos
todo, algo, nada
poco, bastante = mucho, demasiado, casi, solo

DE TIEMPO
ayer, hoy, mañana
antes, ahora, después
pronto = temprano / tarde
siempre / nunca = jamás
anteayer / pasado mañana
anoche

DE DUDA
quizá = quizás
posiblemente,
probablemente,
tal vez, a lo mejor
seguramente...

DE AFIRMACIÓN
sí
también
cierto
sin duda

DE NEGACIÓN
no
jamás = nunca
tampoco

*Formación de los adverbios en *-mente*:

• La terminación *-mente:* se añade directamente a los adjetivos
que terminan en consonante o en -e: *fácil* → **fácilmente**.
Inteligente → **inteligentemente**.

• Para los adjetivos que tienen forma masculina y femenina,
la terminación *-mente* se añade a la femenina:
claro → **clara** → **claramente**.

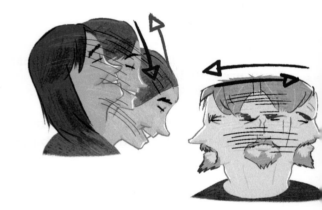

ATENCIÓN

Cuando aparecen seguidos varios adverbios en *-mente*,
solo lleva la terminación el último.

*Has explicado las dudas que teníamos **clara** y **brevemente**.*
*Se esfozaron **física** y **mentalmente** para llegar a la final.*

3. Practicamos los contenidos gramaticales

1 a **Pon los infinitivos en condicional.**

Lali: Me (1) (encantar) *encantaría* ser astronauta porque así (2) (poder, yo) _____ salir al espacio,
y de este modo (3) (conseguir, yo) _____ ver la Tierra desde el exterior. (4) (Ser) _____
una sensación increíble: poder ver en un momento los océanos, las grandes montañas, la Amazonia...
¡Un sueño!

Sergio: ¿Pero, no te (5) (dar) _____ miedo alejarte de la Tierra a una velocidad vertiginosa?

Lali: No, estoy segura de que no (6) (tener) _____ ningún miedo.

Sergio: Pero, ¿hablas en serio? ¿De verdad (7) (querer, tú) _____ ser astronauta?

Lali: Completamente en serio y, además, voy a intentarlo porque (8) (ser) _____ una gran frustración
para mí no hacerlo.

Sergio: Bueno, Lali, pues nada*... ¡Ánimo y adelante!

*__*PUES NADA:*__ pues ya no tengo nada más que decir sobre este asunto. Se usa para terminar una conversación.*

b **Si todavía no tienes una carrera o una profesión, di a tus compañeros/as qué te gustaría ser en el futuro.**

2 a **Escribe los verbos en futuro o condicional.**

1 ● Si te echas una buena siesta, (sentirte, tú) *te sentirás* mejor.
 ▼ (Encantar, a mí) _____, pero no tengo tiempo.

2 ● Buenos días, (querer, yo) _____ un billete para Madrid en el AVE de las 15:00.
 ▼ Lo siento, pero ya no quedan plazas.

3 ● (Deber, tú) _____ cortarte el pelo, lo tienes demasiado largo.
 ▼ Ya... pero es que a mi novio le gusta así.

4 ● (Tener, tú) _____ que decirle la verdad a tu madre, si no*, se (enfadar, ella) _____.
 ▼ (Hablar) _____ con ella mañana por la mañana.

5 ● Hola, Violeta, ¿(poder, tú) _____ darme el número de teléfono de Carlos?
 ▼ No lo tengo aquí, pero mañana te lo (dar, yo) _____.

6 ● ¿(Ir, tú) _____ a la fiesta de Ismael?
 ▼ La verdad es que me (gustar) _____ mucho, pero no quiero ver a Paloma.

7 ● Buenos días, ¿(poder, usted) _____ fotocopiar las páginas 14 y 15 de este libro?
 ▼ Lo siento, pero está prohibido fotocopiar libros.

*****SI NO**: El verbo siguiente está omitido porque resulta obvio. «Si no (le dices la verdad a tu madre), se enfadará.»*

b **Forma la probabilidad con futuro o condicional.**
¿Dónde está Marina?
Creo que está en la librería Baroja.
Tú: *Estará en la librería Baroja.*

1 ● ¿Quién es ese niño?
 ▼ A lo mejor es el hijo de Pablo.
 Tú: _____.

2 ● ¿Por qué no comió casi nada Lola?
 ▼ Porque creo que no le gustó el almuerzo.
 Tú: _____.

3 ● ¿Por qué no vino ayer Germán?
 ▼ Tal vez tenía otra cita.
 Tú: _____.

4 ● ¿Quién es Irene?
 ▼ Creo que es la novia de José Luis.
 Tú: _____.

5 ● ¿Por qué no te llamó Jorge?
 ▼ Porque creo que no le funcionaba el teléfono.
 Tú: _____.

6 ● Pero, ¿cuántos mensajes tienes sin leer?
 ▼ Me parece que tengo 100.
 Tú: _____.

7 ● ¿Por qué se divorciaron los padres de Juan?
 ▼ Me parece que tenían problemas de convivencia.
 Tú: _____.

8 ● ¿Dónde está la factura de la florería*?
 ▼ A lo mejor está en la carpeta negra.
 Tú: _____.

*****FLORERÍA:** forma común de Hispanoamérica, salvo en Venezuela, El Ecuador, Nicaragua, Honduras, Costa Rica y Guatemala donde se dice floristería como en España.*

3 **Primero completa este texto y luego habla con tu compañero/a sobre lo que dice. ¿Cuándo y para qué te gustaría ser invisible?**

Me (1) (encantar) *encantaría* ser invisible a ratos, porque así (2) (poder) _____ ver muchas cosas sin ser visto, por ejemplo, (3) (entrar) _____ en el despacho de la profesora de Física para mirar las preguntas y saber las respuestas.
Siendo invisible, (4) (escuchar) _____ conversaciones secretas y así (5) (saber) _____ lo que nadie sabe.
Como no tengo mucho dinero, siendo invisible (6) (poder) _____ hacer muchas cosas sin pagar.
¡(Ser) (7) _____ estupendo ser invisible algunas veces!

4 **Pon estos adverbios en el lugar correcto.**

temprano · después · bastante · <u>seguramente</u> · despacio · más
· tarde · tampoco · nunca · ahora · quizá

1 ● ¿Por qué no me puedo conectar a internet?
  ▼ *Seguramente* será problema del *router*. Está fallando mucho.
2 ● ¿Quiere usted _____ hielo?
  ▼ No, gracias. Con este tengo _____.
3 ● Me encanta levantarme _____ y ver amanecer.
  ▼ Pues yo lo odio. Cuando puedo me levanto muy _____.
4 ● Conduce más _____, hay mucha niebla.
  ▼ Tranquilo, yo sé lo que hago.

5 ● ¿Qué planes tienes para el fin de semana?
  ▼ _____ vamos a Toledo.
6 ● _____ voy al cine el día del espectador.
  ▼ Yo _____. No soporto el ruido que hace la gente comiendo palomitas.
7 ● ¿Puedes echarme una mano?
  ▼ _____ estoy ocupado. ¿Te importa venir _____ ?

5 **a Contesta a este test individualmente.**

Hábitos y costumbres

Usted se levanta
☐ temprano ☐ tarde

Desayuna en casa
☐ siempre ☐ casi siempre
☐ a veces ☐ nunca

¿Cómo conduce usted?
☐ deprisa ☐ normal ☐ despacio

¿Cómo cree que está su economía?
☐ bien ☐ regular
☐ mal ☐ fatal

¿Trabajaría para una ONG?
☐ sí ☐ seguramente
☐ quizás ☐ no

¿Robaría un banco?
☐ sí ☐ posiblemente
☐ jamás

¿Hace deporte?
☐ nada ☐ poco
☐ algo ☐ bastante ☐ mucho

b Ahora, busca al compañero/a de la clase que tiene más puntos en común contigo y comentad vuestras opiniones.

4. Contenidos léxicos

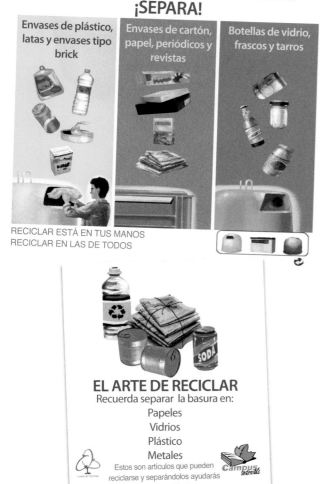

SI NO QUIERES QUE EL SISTEMA DE RECICLAJE SE PARE
¡SEPARA!

Envases de plástico, latas y envases tipo brick

Envases de cartón, papel, periódicos y revistas

Botellas de vidrio, frascos y tarros

RECICLAR ESTÁ EN TUS MANOS
RECICLAR EN LAS DE TODOS

EL ARTE DE RECICLAR
Recuerda separar la basura en:
Papeles
Vidrios
Plástico
Metales
Estos son artículos que pueden reciclarse y separándolos ayudarás al medio ambiente.

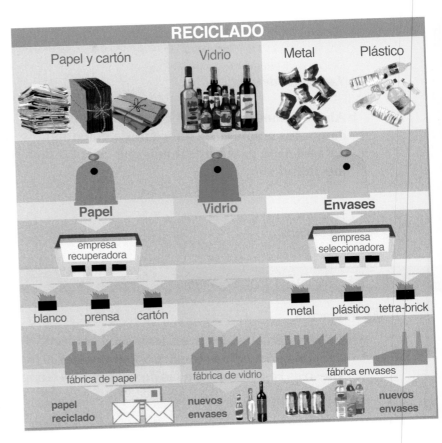

RECICLADO

Papel y cartón — Vidrio — Metal — Plástico

Papel — Vidrio — Envases

empresa recuperadora — empresa seleccionadora

blanco — prensa — cartón — metal — plástico — tetra-brick

fábrica de papel — fábrica de vidrio — fábrica envases

papel reciclado — nuevos envases — nuevos envases

5. Practicamos los contenidos léxicos

1 **Adivina qué es.**

1 Lugar donde se depositan los elementos que queremos reciclar.

_____.

2 Material de una botella de agua.

_____.

3 Los hay de tres colores: azul, amarillo y verde y cada uno tiene una función distinta.

_____.

4 Van al contenedor de papel después de leerlas.

_____.

5 Con ellas funciona, por ejemplo, una radio.

_____.

6 Es lo que hacemos si seguimos todas estas normas.

_____.

7 Material de una botella de vino.

_____.

8 Envase en el que suele presentarse la leche.

_____.

2 **a** **Por equipos, elegid dos o tres elementos de la lista. Vuestros/as compañeros/as tienen que hacer tres preguntas para adivinar qué es. Vosotros/as solo podéis contestar sí o no.**

¿Contiene un líquido?	*Sí.*
¿El líquido es transparente?	*Sí.*
¿Va al contenedor de plásticos?	*Sí.*

La botella de agua.

b **Ahora vamos a hacerlo al contrario. Os damos los nombres de diferentes elementos del reciclado y vosotros tenéis que intentar dar una definición.**

Son las cosas que ya no necesitamos.
Las ponemos en bolsas.
La basura.

6. De todo un poco

1 Interactúa.

A **Habéis sido elegidos presidentes del gobierno de vuestro país. En grupos, decidid qué medidas tomaríais para cuidar el medio ambiente. Comparad vuestras respuestas con las de vuestros/as compañeros/as.**

Yo, prohibiría el tráfico por el centro de las ciudades.

B **En parejas o grupos, pensad en cuatro cosas que ayudan a cuidar el medio ambiente y en otras cuatro que destruyen o perjudican al medio ambiente. Aquí tenéis unos ejemplos.**

Limpia y desinfecta
incluso en agua fría.
Suaviza la ropa y acaba con los malos olores.

Gran ahorro. La **ECOBOLA IRISANA** tiene hasta 3 años de vida útil o 1000 lavados. Ahorra varias decenas de kilos de detergente al año.

La utilización de la **ECOBOLA IRISANA** es un método barato, saludable y ecológico.

PROGRAMA DE ACOPIO Y DISPOSICIÓN DE PILAS Y BATERÍAS USADAS

¡Alto!
Si las tiras, contaminas!

OXXO
TAMPICO &
¡Hermoso!

CONTAMINAN MUCHO.
Una sola pila alcalina puede contaminar 175 000 litros de agua (más de lo que puede consumir una persona en toda su vida). Cuando ya no sirven, hay que ponerlas en contenedores especiales. Es mejor utilizar aparatos eléctricos.

2 Habla.

Explica a tus compañeros/as brevemente cómo es tu localidad. Diles qué te gusta de ella, qué cosas cambiarías y por qué.

Soy de un pueblo del centro de mi país. Está a 32 kilómetros de una ciudad bastante grande. Durante el día hay poca gente porque la mayoría trabaja fuera del pueblo...

3 Escucha, lee e interactúa. 3

A Pedir favores.

1 Escucha los siguientes diálogos y contesta.

1 ¿Qué están haciendo las personas que hablan?
  a Pedir permiso
  b Pedir favores
  c Animar a alguien a hacer algo

2 ¿Cuántas respuestas son afirmativas y cuántas negativas?

3 Además del presente de indicativo, ¿qué otro tiempo verbal usan en las preguntas?

4 ¿Hay algunas preguntas más formales que otras?

2 Vuelve a escuchar y comprueba si tus respuestas son correctas.

3 En parejas, leed la transcripción. Procurad poner la entonación adecuada.

1 ● **¿Puedes** poner la música más baja? Es que me molesta.
▼ Sí, perdona, ahora mismo la bajo.

2 ● **¿Os importa** llevarme a la estación?
▼ Es que no podemos. De verdad, lo sentimos mucho.

3 ● **¿Podéis** cambiar de canal? Es que no me apetece ver el tenis.
▼ Pues a mí me apetece mucho verlo.

4 ● **¿Le importaría** dejarme el periódico?
▼ Claro que no, tómelo.

5 ● **¿Cierras** la puerta? Hace un poco de fresco.
▼ No quiero cerrarla; es que yo tengo calor.

6 ● **¿Sería tan amable** de volver a llamar?
▼ De acuerdo, ¿a qué hora?

7 ● **¿Me prestas** el coche para este fin de semana?
▼ No puedo porque me voy a Granada.

8 ● **¿Podríamos** vernos otro día? Hoy tengo mucho trabajo.
▼ Sí, no hay inconveniente.

RECURSOS

● **Cuando conocemos mucho a las personas, les pedimos favores de un modo más informal.**

  * Con el verbo en presente en forma interrogativa:
    *¿**Cierras** la puerta? / ¿**Me prestas** el coche?*
  * Con el presente de los verbos ***poder**, **importar** y **molestar*** en forma interrogativa:
    *¿**Puedes** poner la música más baja?*
    *¿**Os importa** llevarme a la estación?*
    *¿**Te molesta** cambiar de canal?*

● **Cuando no conocemos a las personas o las tratamos habitualmente de modo formal, les pedimos los favores en condicional, como has estudiado en esta unidad.**

B Te toca.

> ● Necesitas 50 euros para terminar el mes. Pide el dinero a tu padre.

> ● Tus vecinos limpian la casa por la noche y hacen demasiado ruido. Sube a hablar con ellos.

> ● Estás en el autobús y un señor mayor está junto a la puerta y tú quieres salir.

> ● No tienes ganas de cocinar, pero tienes hambre. Tu hermano va a ir a la cocina a preparar su cena. Habla con él.

4 Escucha. 🎧 ⁴

Contesta si las siguientes afirmaciones son verdaderas o falsas.

Vertedero

a	El alcalde ha estado en el programa.	V	F
b	La primera señora tiene problemas de sueño.	V	F
c	El señor pide contenedores en las urbanizaciones.	V	F
d	La segunda señora quiere vivir en la misma zona en la que vive el alcalde.	V	F
e	El programa de radio se emite cada día.	V	F
f	El correo electrónico es: visitaalcalde@ondameridional.es.	V	F
g	El número de teléfono es: 952 202 020.	V	F

5 Lee.

1 Antes de leer.

a En parejas o en grupos, haced una lista de palabras relacionadas con el reciclado.

b ¿Qué creéis que va a decir un técnico de Medio Ambiente sobre el reciclado?

2 Durante la lectura.

a Comprueba si se confirman tus hipótesis iniciales sobre el vocabulario.

3 Después de leer.

Contesta a estas preguntas.

a ¿Qué propone el técnico para reducir el consumo?
b ¿Y para reutilizar?
c ¿Y para reciclar?
d ¿Qué tres cuestiones se presentan como fundamentales para favorecer el reciclado?
e ¿Qué deberían hacer los Ayuntamientos?

MUNDO VERDE

Jacinto Segura, Técnico de Medio
Ambiente de la Diputación de Málaga

Reciclar es algo importantísimo, sin duda, pero no hay que olvidar que es el último paso de una cadena que podríamos simbolizar con las tres R: REDUCIR, REUTILIZAR Y RECICLAR. Me explico: Lo primero sería reducir el consumo. Voy a poner el ejemplo de las bolsas de plástico. Habría que ir al supermercado con las bolsas desde casa, salir de compras con bolsas de tela u otras que ya tenemos. Así reduciríamos el consumo. El segundo punto consiste, como he dicho, en reutilizar. Es decir, siguiendo con el ejemplo de las bolsas, deberíamos utilizarlas como bolsas de basura. Y lo último sería reciclarlas si no las hemos reutilizado; es decir, depositarlas en el contenedor de envases, desde donde se envían a una planta de clasificación y desde allí a una fábrica para el reciclado de materias. Reciclando conseguimos aprovechar materiales que irían a la basura, pero en este proceso consumimos energía. Por ello, es mejor no consumir o al menos reutilizar lo consumido. Esto puede hacerse con muchos artículos que utilizamos diariamente, por ejemplo, las pilas, que deberían ser recargables.

Otra cuestión fundamental es la información y concienciación de la gente en este tema. Es cierto que cada día estamos más informados, pero sigue habiendo muchas dudas sobre qué residuos se ponen en cada contenedor. Para mí, el principal problema es concienciar a la población, porque separar y reciclar suponen un esfuerzo y un tiempo extra y no todos estamos dispuestos a hacerlo con el ritmo de vida que llevamos. Además, parte de la responsabilidad reside en las administraciones, que deberían facilitar la tarea de los ciudadanos colocando los contenedores cerca de las viviendas.

6 Escribe.

A Lee el pretexto atentamente y escribe *La clase perfecta.*

Para mí, la clase perfecta sería pequeña, unos diez alumnos. Tendría mucha claridad y en las paredes habría láminas de...

B Entre todos/as los/as estudiantes, elaborad un cartel atractivo que represente vuestra ciudad ideal. Primero haced un resumen de todas las ideas y después diseñad el cartel.

2

¡Cuánto hemos cambiado!

Al terminar esta unidad serás capaz de...

• Proponer planes.

• Hablar de los cambios personales y sociales.

• Narrar.

• Señalar cercanía y lejanía por medio de los demostrativos.

• Hablar, leer, escuchar y escribir sobre los inventos que han cambiado nuestras vidas.

• Ir a buscar un objeto en la oficina de objetos perdidos.

• Jugar al *veo veo*.

• Leer y comprender un artículo periodístico.

1. Pretexto

Inicio   Sobre el blog   Suscripción   Contacto

Buscar

Suscripción

Suscripción a
inventos.com

Pon tu e-mail aquí

Algunos inventos

¿Alguna vez te ha interesado saber quién inventó el lápiz, los zapatos de tacón, internet, etc.? Si es así, tú y yo coincidimos en la misma inquietud, por eso en este *blog* (o **bitácora** como se dice en español) voy a investigar y contar las historias de aquellos inventos que han cambiado nuestra vida.

El contestador automático, por ejemplo, fue un invento revolucionario, sobre todo en el mundo de la empresa. Pero este aparato también se metió en nuestras casas hace mucho tiempo.
¿Ha cambiado mi vida el contestador automático? Pues sí. Gracias a él encontré el trabajo de mis sueños. Me dejaron un mensaje por error. Me presenté a la entrevista y me dieron el trabajo. Aunque ya no lo uso tanto como antes, todavía no lo he quitado. Sigue al lado del teléfono. Y tú, ¿qué me cuentas del contestador?

¿Y qué me dices del bolígrafo, algo tan pequeño y tan útil?
Lo inventaron en 1938 los hermanos húngaros Laszlo y George Biro. Yo, desde que compré mi primer boli, siempre he llevado uno en el bolso o en la cartera.
Y una curiosidad, en algunos países se llama 'lapicera', 'birome' (del apellido de los hermanos Biro y el de su socio Meyne) –que fue su nombre original–, 'puntabola' y de muchas otras maneras.
Bueno, lo dejo aquí por hoy, pero espero vuestros comentarios y vuestros inventos preferidos.
Nos vemos.

1 **Escucha y lee lo que se cuenta en este blog y contesta.** 5

a ¿De qué inventos habla?
b ¿Qué anécdotas cuenta sobre cada uno?
c ¿Puedes escribir un texto parecido sobre un invento que cambió o influyó en tu vida?

2 **Y ahora reflexiona.**

a Separa en dos columnas las formas verbales que admiten la idea de 'hasta ahora' y las que no.
b ¿Recuerdas la diferencia entre *mi vida ha cambiado* y *mi vida cambió*?

3 **Si quieres, apunta en tu cuaderno los diferentes nombres del bolígrafo.**

2. Contenidos gramaticales

1 Contraste pretérito perfecto y pretérito indefinido.

ATENCIÓN

Recuerda que en algunas regiones de España y en Hispanoamérica no se usa el pretérito perfecto y, por tanto, no existe el contraste.

a **Lo que ya sabes.**

¿Recuerdas cuándo se usan el pretérito perfecto y el pretérito indefinido? Completa estos diálogos.

1 ● ¿(Ver, ustedes) *Vieron* ayer *Casablanca*? La (poner, ellos) _____ en la tele otra vez.
  ▼ Yo sí y me (gustar) _____ mucho, como siempre.
  ■ Pues yo, ayer, no (poder) _____ verla. Pero la (ver) _____ muchas veces en mi vida. ¡Es una película estupenda!
2 ● ¿(Ir, vosotros) _____ alguna vez a un SPA?
  ▼ Yo no (ir) _____ nunca hasta ahora, pero tengo muchas ganas. Dicen que es genial.
  ■ Pues yo (estar) _____ en uno espectacular el verano pasado.

Pretérito perfecto	Pretérito indefinido
Usamos el pretérito perfecto para referirnos a hechos acabados (representados por el participio) en un tiempo que no ha terminado (representado por el presente del verbo *haber*). Presente de *haber* + participio de un verbo → acción acabada en tiempo no acabado. *Este año he viajado poco.* *Hasta ahora no he ido a Japón.*	**Usamos el pretérito indefinido** para referirnos a acciones y hechos acabados en un tiempo que ya ha terminado. *El año pasado viajé mucho.* *Yo estuve en Japón en 2006.*

Coincidencias	Diferencias
● Los dos presentan las acciones / los hechos terminados. *Nuestra ciudad ha cambiado mucho.* *En aquella época nuestra ciudad cambió mucho.* (Los cambios han ocurrido en los dos casos). ● Los dos sirven para hacer avanzar las acciones en contraste con la descripción del p. imperfecto. *Me he levantado, me he vestido y he salido a buscar trabajo. Y he encontrado uno de repartidor en un supermercado.* *Cuando perdí el trabajo, no perdí la ilusión: preparé un CV, salí a buscar otro empleo y lo encontré en una oficina.*	● **El pretérito perfecto** pone el límite temporal en el presente del hablante (= hasta ahora). *Nuestra ciudad ha cambiado mucho.* ● **El pretérito indefinido** pone el límite temporal fuera del presente del hablante. *En aquella época nuestra ciudad cambió mucho.*

b Los pasados y los marcadores temporales.

Pretérito perfecto

El hablante está dentro de la unidad de tiempo presente.

Pretérito perfecto

Sitúa un hecho terminado en cualquier momento del pasado que incluya el 'hoy' del hablante.
Por eso, los marcadores que mejor combinan con este tiempo son los que indican la misma idea temporal.
  En estos últimos años ha aumentado *el número de estudiantes de español.*
  Este verano han venido *muchos estudiantes de todo el mundo.*
  Hasta ahora hemos recibido *treinta matrículas.*
  Hoy he matriculado *a tres alumnas más.*

Pretérito indefinido

El hablante está fuera de la unidad de tiempo presente.

Pretérito indefinido

Sitúa un hecho en cualquier momento pasado que no incluya el 'hoy' del hablante.
Por eso, los marcadores que mejor combinan con este tiempo son los que indican un corte con el presente.
  Entre 2000 y 2007 aumentó *el número de estudiantes de español.*
  El verano pasado vinieron *muchos estudiantes de todo el mundo.*
  La semana pasada recibimos *treinta matrículas.*
  Ayer matriculé *a tres alumnas más.*

c El caso especial de *nunca, siempre* y *alguna vez*.

Con pretérito perfecto	Con pretérito indefinido

Se sitúan en cualquier momento del pasado y llegan 'hasta ahora'.
  ¿Por qué tenemos que cambiar? ***Siempre hemos actuado*** *así* (hasta ahora).
  Yo, ***nunca*** (hasta ahora) ***he ido*** *a Japón.*
  *¿****Has comido alguna vez*** (hasta ahora) *guacamole?*
	Se sitúan en cualquier momento del pasado y cortan con el presente.
	  Siempre actué *con buena voluntad* (mientras fui jueza).
	  Yo ***nunca dije*** *una cosa así* (en aquella reunión).
	  *¿****Comiste alguna vez*** *guacamole* (cuando estuviste en México)?

Y ahora, escribe con tus propias palabras la diferencia que hay entre un tiempo y otro.

2 Los demostrativos.

a ¿Los recuerdas?

Sirven para señalar en el espacio e indicar proximidad o lejanía. Fíjate en el ejemplo y completa las oraciones para relacionar el adverbio de lugar y el demostrativo.

*Usted está **aquí**.* → *Usted está en **este** lugar.*

1 ● Aquella chica me gusta mucho.
   ▼ ¿Cuál? ¿La que está _____?
2 ● Mira, mira, allí va Pedro.
   ▼ ¿De verdad Pedro es _____ señor?
3 ● Estos temas son muy complicados.
   ▼ Sí, es verdad, pero los vamos a resolver _____ entre todas.

4 ● Esos zapatos me parecen caros.
   ▼ ¿Cuáles? ¿Los negros de _____?
5 ● Aquí no vive nadie.
   ▼ _____ casa parece vacía.
6 ● Ahí hay un taxi libre.
   ▼ En _____ taxi no hay pasajeros.

b Los adjetivos y pronombres demostrativos.

Los pronombres demostrativos señalan de la misma forma que lo hacen los adjetivos. Se usan sin el sustantivo, que tiene que haber aparecido previamente.

● **Este / Esta / Estos / Estas** se refieren a lo que está cerca de la(s) persona(s) que habla(n). Los adverbios de lugar **aquí / acá** indican la cercanía.
***Estas personas** que viven **aquí** al lado son muy amables.*

   ● *Mira, **aquí** hay camisas rebajadas.*
   ▼ *Sí, voy a probarme **esta**.*

● **Ese / Esa / Esos / Esas** se refieren a lo que está más cerca de la(s) persona(s) que escucha(n). Establece una distancia intermedia. El adverbio de lugar **ahí** indica la distancia.
*Por favor, ¿me pone un kilo de **esos tomates**?*

   ● *¿Qué corbata me pongo?*
   ▼ ***Esa** que está en el armario.*

● **Aquel / Aquella / Aquellos / Aquellas** se refieren a lo que está lejos de la(s) persona(s) que habla(n). Los adverbios de lugar **allí / allá** indican la lejanía.

   ● *¿De quién es **aquel** coche?*
   ▼ *¿**Aquel** coche? Es mío. Si quieres te llevo a casa.*

● Los neutros **Esto / Eso / Aquello** indican las mismas relaciones espaciales. Se usan para referirse a un conjunto de cosas indeterminadas, a una idea o a algo desconocido.
   ● *¿Qué es **aquello**?* (algo desconocido).
   ▼ *No sé. Parece un platillo volante.*

   *Chicos, hay que guardar **todo eso** (conjunto de cosas indeterminadas) que habéis dejado **ahí**.*

3. Practicamos los contenidos gramaticales

1 **Pon los verbos en la forma correcta del pretérito perfecto o del pretérito indefinido.**

1 ● ¿(Llamar, tú) _Has llamado_ al fontanero?
  ▼ Sí, lo (llamar) _____ ayer, pero todavía no (venir) _____ .

2 ● ¿(Estar, tú) _____ alguna vez en Roma?
  ▼ Sí, (estar) _____ el año pasado. ¿Y tú?
  ● Yo (estar) _____ varias veces.

3 ● ¿(Hacer, vosotros) _____ el examen?
  ▼ Sí, lo (hacer) _____ el jueves y ayer nos (dar, ellos) _____ las notas.
  ● Y ¿qué (sacar, vosotros) _____ ?
  ▼ Por suerte, los dos (aprobar) _____ .

4 ● ¿Qué tal el viaje?
  ▼ No (ser) _____ muy pesado. Ayer (conducir) _____ y hoy (conducir) _____ Miguel.

5 ● ¿(Ver tú) _____ mis gafas?
  ▼ Ayer las (dejar, tú) _____ en el sofá antes de acostarte.

6 ● ¿Qué película (poner, ellos) _____ ayer en la 2?
  ▼ No sé, no la (ver, yo) _____ .

7 ● ¿Qué sabes de Pepa?
  ▼ (Estudiar, ella) _____ Arquitectura y ahora (terminar) _____ el proyecto del Palacio de Congresos.

8 ● ¿Sabes que Adolfo (abrir) _____ una tienda de deportes?
  ▼ ¡No me digas!
  ● Sí, (pedir, él) _____ un crédito al banco y se lo (conceder, ellos) _____ .

9 ● Oye, ¿Fernando y Aurora (volver) _____ de Australia?
  ▼ Claro que sí, (volver) _____ hace 20 días.

10 ● ¿Estás en alguna red social?
  ▼ Sí, mi hermana me (meter) _____ en _Facebook_ el año pasado.

2 **a Completa el mensaje con el perfecto o el indefinido.**

 Mail   Archivo   Edición   Visualización   Buzón   Mensaje   Formato   Ventana   Ayuda   (Cargada) mié 11:41

Nuevo mensaje

Enviar Chat Adjuntar Agenda Tipo de letra Colores Borrador

Para:

Cc:

Asunto:

Querida profesora:

(1) (Llegar, yo) Llegué aquí el mes pasado y desde entonces ya (2) (hacer, yo) _____ muchas cosas: (3) (estudiar, yo) _____ español en un curso intensivo, (4) (conocer, yo) _____ un poco a los españoles, pero quiero hacer muchas cosas más.

Anteayer (5) (ver, yo) _____ una corrida de toros, pero no me (6) (gustar) _____ demasiado; sobre todo me (7) (impresionar) _____ la muerte del toro. No sé si voy a ver otras corridas.

En estos días hay feria en Málaga. ¡Es espectacular! Veinte horas de cultura y diversión durante nueve días seguidos. (8) (Ir, yo) _____ todos los días a la feria. El jueves (9) (bailar, yo) _____ sevillanas con un chico que (10) (conocer, yo) _____ aquí en Málaga.

El primer día, el viernes por la noche, (11) (ver, yo) _____ los fuegos artificiales, (12) que (durar) _____ 35 minutos, acompañados por música clásica y rayos láser. También (13) (asistir, yo) _____ a dos conciertos en el teatro Cervantes y, naturalmente, por la noche (14) (ir, yo) _____ a la feria, que está a las afueras y (15) (escuchar, yo) _____ a grupos de música españoles.

También (16) (visitar, yo) _____ la Alcazaba, una fortaleza que (17) (construir) _____ los árabes en el siglo XI. Y por supuesto (18) (ir, yo) _____ todos los días a la playa.

El domingo pasado (19) (hacer, nosotros) _____ una moraga, que es una fiesta en la playa por la noche, donde se comen sardinas y se bebe sangría. ¡Qué bien lo (20) (pasar, nosotros) _____ !

Además este verano (21) (abrir, ellos) _____ varias discotecas. El sábado (22) (ir, yo) _____ a una al aire libre y (23) (bailar, yo) _____ toda la noche.

Como ve, aquí no se está mal y mi español (24) (mejorar) _____ bastante, ¿no cree? Le adjunto unas fotos. A ver si le gustan.

Muchos recuerdos para todos los compañeros y los demás profesores.

Para usted, un fuerte abrazo,

Sabrina

b **Vuelve a leer el *e-mail* y pon debajo de las imágenes los nombres que aparecen en el mensaje.**

2 _____

3 _____

4 _____

1 _____

3 a **Esto le pasó a Cecilia la semana pasada.**
Transforma los infinitivos con la forma verbal adecuada.

La semana pasada Cecilia (1) (salir) *salió* de casa para tomar el avión para México y (2) (ir) _____ al aeropuerto hora y media antes.
Todo empezó cuando (3) (llegar) _____ al aeropuerto y (4) (tener) _____ que esperar más de tres horas por culpa de los retrasos.
Luego, (5) (elegir) _____ un carro estropeado y sus maletas se (6) (caer) _____. Por eso (7) (ponerse) _____ muy nerviosa y (8) (estar) _____ así todo el tiempo.
Cuando (9) (llamar, ellos) _____ para embarcar, no (10) (oír) _____ la llamada y (11) (perder) _____ el avión.
Total, que no (12) (poder) _____ asistir al Congreso de Personas con Mala Suerte.

b **Escribe un texto parecido contando un día de mala suerte. Comparad los textos de toda la clase y dad un premio a quien lo pasó peor.**

4 **Completa con el demostrativo adecuado.**

1 ● Por favor, ¿podría enseñarme *aquel* bolso? El que está en el escaparate.
  ▼ ¿_____? *(Tocándolo)*
  ● Sí, sí, _____.

2 ● _____ verano no podremos irnos de vacaciones, tendremos que quedarnos en casa.
  ▼ _____ mismo me pasó a mí el verano pasado.

3 ● ¿Estás segura de que _____ es el camino?
  ▼ Claro que sí. He pasado por aquí miles de veces.

4 ● Veo fatal, ¿qué es _____ de allí?
  ▼ Tienes que graduarte la vista, ¿eh? _____ es mi coche nuevo.
  ● Perdona, pero es que con _____ gafas no veo nada.

5 ● ¿Cuál es tu casa?
  ▼ ¿Ves _____ edificio alto que está pintado de gris?
  ● Sí.
  ▼ Pues en _____ edificio de ahí, tengo yo mi apartamento.

6 *(Señalando una foto)*
  ● ¿Quién es _____?
  ▼ Mi ex novia. En _____ foto todavía nos llevábamos muy bien.

5 Vamos a jugar con los demostrativos.

- Meted en una bolsa tarjetas con estos adverbios de lugar.

- La clase se divide en equipos. Una persona de cada equipo saca una tarjeta y tiene que hacer una oración usando el adverbio y el demostrativo adecuado.

- Para hacer la oración tenéis un minuto cada vez.

- Gana el equipo que haga más oraciones correctas en el tiempo señalado.

AQUÍ

ALLÍ

AHÍ

*Saco la tarjeta con el adverbio ALLÍ → Oración: ¿Me das **aquel** bolígrafo que está **allí**?*

4. Contenidos léxicos

1 Relaciona las adivinanzas con sus imágenes. ¿Cómo se llaman estas cosas en tu idioma?

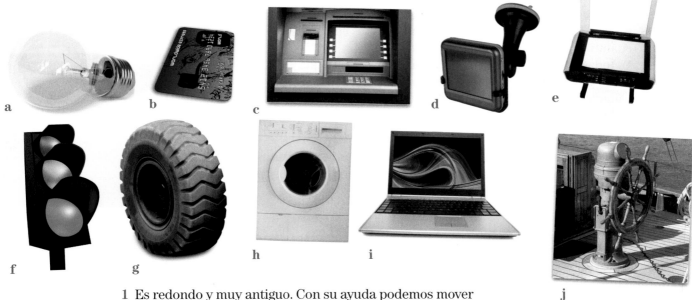

a
b
c
d
e
f
g
h
i
j

1 Es redondo y muy antiguo. Con su ayuda podemos mover cualquier cosa.
2 Sirve para ver el interior de una caja cerrada o reproducir documentos.
3 Desde que existe, podemos comprar sin usar el dinero real.
4 Tiene un nombre especial en español que viene del mundo de la navegación por mar. Es como un cuaderno, pero virtual.
5 Si no funciona, nos quedamos sin conexión a internet, sin frigorífico y, sobre todo, a oscuras.
6 Tiene tres colores que indican «alto, puede pasar y tenga cuidado».
7 Sirve para no perderse en coche por ciudades desconocidas.
8 Desde que se inventó, cambiarse de ropa es más fácil.
9 Su nombre significa que podemos llevarlo a todas partes. Tiene mucha memoria y con él trabajamos en cualquier sitio.
10 También está relacionado con el dinero. Parece una ventana. Para usarlo tenemos que recordar una clave. Funciona de día y de noche.

5. Practicamos los contenidos léxicos

1 **a Practica para recordar estas palabras. Fíjate en lo que se dice y elige la palabra más adecuada. Escribe el artículo si es necesario.**

1 Si queremos evitar accidentes en las vías urbanas, debemos respetar _____. Sus colores nos indican cómo y cuándo circular.

2 Cuando sales por la noche y te quedas sin dinero, puedes hacer varias cosas: pedir prestado a una amiga; volver a casa o buscar _____ y sacar un poco para terminar la fiesta.

3 Ya veo por qué no anda el tren de Héctor: hay _____ que no funcionan.

4 Desde que tengo _____ casi no uso fotocopias en mis presentaciones profesionales. Todo lo hago en Power point.

5 Yo antes no quería usar _____, pensaba que el dinero de verdad era más fácil de controlar. Ahora tengo cuatro. Cambiar de opinión es de sabios, ¿no?

6 De todos los inventos modernos yo prefiero _____. Creo que es el que más trabajo nos evita.

7 Cuando tomo un taxi y voy a una nueva urbanización, pregunto al taxista si tiene _____, para evitar dar vueltas sin sentido.

8 Cada vez que se produce un apagón, nos damos cuenta de lo importante que es _____ y cuánto dependemos de ella.

9 Yo todavía no tengo _____ porque me parece que ya hay demasiados. ¿A quién puede interesarle mis cosas?

10 Cuando pasamos por el control de equipajes, la policía ve el contenido en la pantalla del _____.

b Elige un invento importante para ti. Prepara una adivinanza con él. Tus compañeros/as pueden hacer cinco preguntas para saber cuál es. Si no lo adivinan, ganas tú.

6. De todo un poco

1 Interactúa.

A En la oficina de objetos perdidos.

Se divide la clase en dos grandes grupos:
   A Los empleados de la oficina de objetos perdidos.
   B Las personas que han perdido cosas.
El primer grupo elabora una lista de objetos que hay en su oficina.
El segundo, en parejas o grupos de familia, piensan en qué han perdido y van a la oficina de objetos perdidos y actúan.
Tienen que describir el objeto que buscan y decir dónde y cuándo lo perdieron.
El grupo **A** tiene que ver si está entre los objetos de la lista.

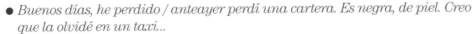

● *Buenos días, he perdido / anteayer perdí una cartera. Es negra, de piel. Creo que la olvidé en un taxi...*

▼ *Lo siento mucho, no tenemos ninguna cartera así. / ¡Qué suerte! Aquí tenemos una cartera como la que usted describe.*

B Veo, veo, ¿qué ves?

Una persona elige a un miembro de la familia 'Clon'. El resto de la clase hace preguntas hasta adivinar quién es. Quien acierta, elige otro personaje, así hasta describirlos todos. Tendréis que buscar primero el vocabulario necesario.

C Opina después de escuchar.

1 Antes de escuchar.

a Comprueba que conoces estas palabras. Consulta el diccionario o pregunta a tu profesor/a.

Habitable; calle peatonal; cinturón verde; mandato político.

2 Durante la audición. 6

a Toma nota de lo que te parece más interesante.

3 Después de escuchar.

a Haz un resumen de lo que ha dicho la alcaldesa.

b Representad una entrevista equivalente.
Una persona es la alcaldesa y los demás le hacen más preguntas.

c En grupos, elaborad un breve informe de lo que se ha dicho.

2 Habla.

Elige uno de estos temas y haz una presentación ante toda la clase. También puedes hablar de dos de ellos.

Y algo muy importante:

Si no quieres improvisar, tienes unos minutos para pensar y preparar lo que vas a decir.
Tienes que hablar unos tres minutos.
Tus compañeros/as y tu profesor/a pueden hacerte preguntas al terminar tu exposición.
¡Suerte!

¿Prefieres ir al cine o ver un DVD (se pronuncia deuvedé) en tu casa?

¿Llamas a tus amigos y amigas o chateas con ellos?

¿Lees el periódico o lees las noticias por internet?

¿Tienes muchas horas de música en tu iPod? ¿Y muchos cedés (CD)?

3 Escucha, lee e interactúa. 🎧⁷

A ¿Quieres venir con nosotras?

1 Antes de escuchar.

a ¿Qué te sugiere el título?
b ¿Sabrías decir lo mismo de otra manera?

2 Escucha.

En estos diálogos se proponen planes. Apunta los recursos que se usan en cada caso.

¿Quieres venir con nosotras?

3 Vuelve a escuchar y anota cuántos planes se aceptan y cuántos se rechazan.

¿Puedes decir qué relación hay entre las personas de cada diálogo?

El primer diálogo ocurre entre amigas.

RECURSOS		
Proponer un plan	**Aceptar un plan**	**Decir que no a un plan**
¿Quieres...? ¿Vamos a...? ¿Por qué no...? Tengo una idea. Vamos a..., ¿vienes?	Sí, por supuesto. Bueno. Vale, de acuerdo. ¡Qué buena idea!	Lo siento, no puedo + una justificación de por qué no se puede. Imposible.

FÍJATE
Cuando rechazamos un plan, para no resultar maleducados, solemos dar una justificación de por qué lo rechazamos. Y para introducir esta justificación se usa mucho es que.   *Lo siento, pero no puedo.* ***Es que*** *tengo un examen.*

B Te toca.

● Con tu compañero/a elaborad una serie de planes.
  Luego buscad a alguien más de la clase para proponérselos.

● Vas a escuchar unos planes de tus compañeros/as.
  Tienes que aceptarlos o rechazarlos según lo que has aprendido.

4 Escucha. 🎧⁸

¡Cuánto hemos cambiado!

1 Vas a oír a dos personas mayores que hablan de los cambios que han vivido. Imagina de qué hablarán y haz una lista de temas con tu compañero/a.

2 Ahora, escuchad atentamente y comprobad si habéis acertado.

3 Para terminar, di si estas afirmaciones son verdaderas o falsas.

a La medicina ha avanzado más en unos campos que en otros.	V	F
b La televisión ha destruido muchas vidas.	V	F
c Los medios de transporte han evolucionado muy poco.	V	F
d Los padres del futuro dispondrán de más tiempo para sus hijos.	V	F
e La felicidad depende en gran parte de las personas.	V	F

5 Lee.

1 Fíjate en este texto y contesta.
  a ¿Se parece a un *e-mail*, a una carta, a una bitácora o a una noticia del periódico?
  b ¿Cómo lo sabes?

2 Lee atentamente y contesta.
  a ¿Quién o quiénes son los protagonistas de lo que se cuenta?
  b ¿Dónde ocurre?
  c ¿Qué se cuenta? ¿Cuál es el tema?
  d ¿Cuándo se fundó la empresa?
  e ¿Por qué se cuenta esto? ¿A quién puede interesar?

La compañía malagueña *Airzone*, con sede en el Parque Tecnológico de Andalucía (PTA), ha sido seleccionada para climatizar 'La Palmera', una obra urbanística que se levanta actualmente frente a las costas de Dubai, en los Emiratos Árabes Unidos. Es la más importante del mundo.

Airzone suministrará a 1 300 villas de lujo sus sistemas de control de la climatización. La ventaja de este sistema está en que permite regular el aire acondicionado de manera independiente en cada zona de la vivienda u oficina, lo que favorece el ahorro de energía respecto a los circuitos tradicionales.

La empresa ha conseguido hacerse con este importante contrato tras superar a grandes multinacionales del sector. Su concesión le dará unos beneficios superiores a 1,5 millones de euros; eso supone un aumento en su facturación del 25%. La empresa no solo ha conseguido el suministro de estos sistemas de control de aire acondicionado, sino que también formará a las empresas instaladoras de este servicio.

Esta empresa nació en 1997, fundada por Antonio Mediato. Y desde entonces crece constantemente. En 2005 ganó el Premio Joven Empresario Andaluz y el accésit a la innovación tecnológica en el Premio Nacional Joven Empresario, en el que participan emprendedores menores de 40 años, así como un Premio Alas a la exportación, concedido por la Junta de Andalucía.

3 ¿Qué título es el mejor para este texto?
  a De Málaga a Dubai.
  b Gana el Premio Joven Empresario.
  c Menores de 40 años.

4 Haz un resumen con los datos más importantes.

5 Apunta en tu cuaderno las palabras que te han parecido útiles y que piensas que vas a usar en el futuro. Compáralas con las de tus compañeros/as.

6 Escribe.

Opción A
Fíjate en el correo que Sabrina envía a su profesora de español.
Escribe uno semejante a tu profesor/a para contarle tus experiencias relacionadas con el español.

Opción B
Vuelve a leer el *blog* o bitácora del Pretexto. Escribe un mensaje sobre tu(s) invento(s) preferido(s).

Repaso

1 Interactúa.

En parejas. Primero uno/a de vosotros/as lee las preguntas y el otro o la otra las contesta. Después cambiáis: quien ha preguntado contesta y quien ha contestado pregunta.

1. ¿Cómo sería tu ciudad ideal?

2. Y tu vivienda ideal, ¿cómo sería, dónde estaría, cómo la decorarías, etc.?

3. ¿Cómo sería la escuela de idiomas ideal para ti? Descríbela.

1. De los últimos inventos de finales del siglo XX y principios del siglo XXI, ¿cuál o cuáles te parece/n más importante/s y por qué?

2. ¿Qué cosas están de moda actualmente en tu país?

3. ¿Qué opinas sobre los móviles de última generación?

2 Habla.

Habla sobre uno de estos tres temas propuestos:

- Un día especial del pasado.
- El viaje que hiciste a…
- Algo divertido/peculiar/peligroso que te ocurrió en…

Recuerda que tienes unos minutos para prepararlo, que puedes escribir una serie de palabras para no perderte y recuerda, también, todo lo que has aprendido sobre la narración en estas unidades.

3 a Escucha y contesta.

Te presentamos cinco diálogos correspondientes a estas funciones comunicativas: proponer planes y pedir favores. Señala con una X en qué diálogos aparecen esas funciones.

	Proponer planes	Pedir favores
Diálogo uno		
Diálogo dos		
Diálogo tres		
Diálogo cuatro		
Diálogo cinco		

b Escucha y di si son verdaderos o falsos los enunciados.

a Jorge Luis Borges estudió en Ginebra.	V	F
b No pudo dirigir la Biblioteca Nacional porque ya no veía casi nada.	V	F
c La obra de Borges no es muy sencilla.	V	F
d Sus relatos son auténticas pequeñas obras maestras.	V	F
e Borges fue un gran novelista.	V	F
f Jorge Luis Borges no recibió el premio Nóbel.	V	F
g Murió en su país en 1986.	V	F

Si quieres saber más sobre este autor, entra en *http://cvc.cervantes.es/actcult/borges/*

4 Lee y contesta.
Avisos y anuncios.

a Aviso.

Estimados/as vecinos/as:
En este último mes ha habido quejas de varios/as vecinos/as por el ruido que hacen las personas cuando vuelven del botellón (suponemos) de madrugada los viernes y los sábados.
También ha habido quejas de algunos/as propietarios/as que dicen que las motocicletas están muchas veces aparcadas en sitios no permitidos.
Y por último les informo de que sigue habiendo personas que bajan la basura al contenedor antes de las 19:30.
Para hablar de todo ello, se convoca una reunión para el martes 17, a las 20:30.
Agradeciendo su colaboración y su asistencia, aprovecho la ocasión para saludarles.

María Eugenia Montenegro,
Presidenta de la comunidad.

Y ahora contesta.

a ¿Qué problema principal produce el botellón para los vecinos?
b ¿A qué hora se debe bajar la basura?
c ¿Cuándo es la reunión?

b Anuncio.
Concurso de relatos sobre viajes *Trotamundos.org*.

La Asociación de viajeros Trotamundos convoca la quinta edición de su concurso de relatos.

Bases

- Los relatos tendrán una extensión máxima de cinco páginas, estarán escritos en español y será elemento imprescindible del argumento la narración de un viaje que no tiene que ser real.
- Al presentar el relato solo aparecerá su título. En un sobre aparte se incluirán el título y los datos del autor/a.

- El plazo empieza el 1 de enero y acaba el 30 de junio.
- Los relatos deberán ser originales y no pueden haber ganado ningún premio literario anteriormente.
- Para obtener más información consulten nuestra página web *Trotamundos.org*.
- Los cinco mejores relatos, además de recibir un premio, se publicarán en un libro de formato digital.

Y ahora, señala verdadero o falso.

	V	F
a El relato debe incluir un viaje real o ficticio.	V	F
b El relato debe ir firmado obligatoriamente al final con el nombre y los apellidos reales del participante.	V	F
c No se admitirán los relatos ya premiados.	V	F

5 Lee.
Lee el siguiente texto sobre inventos.

El 31 de marzo de 2006 se celebró en el Instituto de Investigación en Biotecnología e Industria de Santo Domingo la Primera Feria Nacional de Inventos e Innovaciones. En ella se vio la imaginación de inventores, profesores, estudiantes y empresas dominicanas.

Eso sí, la mayoría eligió el lado práctico: en los 83 inventos expuestos se pudo ver desde una purificadora de agua, hasta prótesis de silicona para dedos y piernas. Unas prótesis muy necesarias en la República Dominicana, donde una parte de su población está mutilada por accidentes de tránsito, percances laborales o incidentes armados.

José Guzmán, miembro de la Sociedad Nacional de Inventores, es el autor de estas prótesis de silicona, pintadas con acrílicos, que se pegan perfectamente a la piel. Entre las últimas prótesis que ha hecho figuran un dedo para un pianista y una mano para un taxista. «Ahora pueden continuar con sus trabajos sin problemas», afirmó orgulloso.

Este ingeniero electromecánico asegura que la gente pobre suele desarrollar destrezas fuera de lo común y que por eso él trata de inventar cosas para ayudarla. «Yo tengo en mi cabeza buenos inventos comerciales, pero no los hago porque no tengo los recursos para patentarlos. Invento cosas útiles y no me importa el plagio», añade con resignación.

Por eso, uno de los objetivos de este tipo de ferias es crear asociaciones y alianzas estratégicas entre quienes tienen las ideas y quienes tienen el capital. Y es que, como dijo Héctor Antigua, presidente de la Sociedad Nacional de Inventores de la República Dominicana, esa feria fue solo el primer paso, porque todavía «falta mucho por inventar».

(Adaptado de *http://www.pergaminovirtual.com.ar/revista/cgi-bin/hoy/archivos/2006/00000367.html*)

Elige las afirmaciones correspondientes.

1 La Primera Feria Nacional de Inventos e Innovaciones:
   a Se celebró en invierno.
   b Recogió inventos prácticos.

2 José Guzmán presentó:
   a Una prótesis de silicona
   b Una purificadora de agua.

3 Entre los objetivos de esta feria está:
   a Descubrir grandes inventos comerciales.
   b Favorecer el encuentro entre las ideas y el capital.

6 Escribe.

Estás harto/a de la ciudad en la que vives. Quieres trasladarte a una más tranquila. Afortunadamente puedes trabajar desde tu casa gracias al teletrabajo. Escribe un mensaje a tus amigos hispanohablantes de *Facebook* para explicarles qué condiciones debe tener la zona o la ciudad a la que te gustaría trasladarte. Sin duda ellos te harán después buenas sugerencias.

7 Marca la respuesta correcta.

1 La patrulla de policía _____ al motorista durante 20 km.
a. siguió   **b.** seguiyó

2 Alfredo _____ molesto por lo que le dijo su jefe.
a. se sintió   **b.** se ha sentado

3 El año pasado _____ un hospital en las afueras.
a. construieron   **b.** construyeron

4 El vuelo _____ y tuvimos que esperar 90 minutos.
a. llegó con retraso   **b.** estaba tarde

5 ● ¡Qué raro! Joseba se fue muy pronto de la fiesta.
 ▼ Bueno, no es tan raro. El día anterior se quedó a estudiar para un examen y _____ sueño.
a. tuvo   **b.** tendría

6 ● ¿_____ quedarte el fin de semana en mi casa?
 ▼ _____, así podemos ir juntas a hacer *surfing*.
a. Puedes / No   **b.** Quieres / ¡Qué buena idea!

7 ● ¿Quiere usted _____ sopa?
 ▼ No, muchas gracias, con un plato tengo _____.
a. más / bastante   **b.** mucha / más

8 ● ¿Les apetece venir con nosotros al zoo?
 ▼ Muchas gracias, pero _____.
a. me encantaría ir, tengo trabajo
b. no puedo acompañarles, tengo trabajo

9 Vivo en esta casa _____ seis años.
a. hace   **b.** desde

10 Laura es mi mejor amiga, siempre se ríe mucho _____.
a. conmigo   **b.** de mí

11 ● Por favor, ¿_____ a Gibralfaro?
 ▼ Coja el autobús número 35 en la Alameda.
a. podemos ir   **b.** para ir

12 Infórmate bien de lo ocurrido, porque yo sé que _____ problemas.
a. ha habido   **b.** habían

13 ● En su opinión, ¿cuál ha sido el cambio más importante de la ciudad en estos cuatro años?
 ▼ Para mí, sin duda, convertir en _____ el centro histórico.
a. patinaje   **b.** peatonal

14 ¿Qué tal _____ a Sevilla este fin de semana?
a. si vamos   **b.** vamos

15 ● Yo _____ he estado _____ en Japón.
 ▼ Yo _____, pero me encantaría ir.
a. Ø / Ø / también
b. no / nunca / tampoco

16 En el siglo pasado _____ dos guerras mundiales.
a. habían   **b.** hubo

17 ● A Marcos _____ venir a vivir a España.
 ▼ ¿Y por qué no _____?
a. le encantaría / viene
b. se encantará / va

18 ● ¿Te parecen útiles _____ para regular el tráfico?
 ▼ Sí, claro, pero tienen que funcionar bien y no estar siempre en intermitente.
a. los semáforos   **b.** los policías

19 ● Buenos días, ¿_____ fotocopiar estas páginas de este libro?
 ▼ Lo siento, pero está prohibido fotocopiar libros.
a. es posible para mí   **b.** podría usted

20 ● ¿Por qué no puedo conectarme a internet?
 ▼ _____ un problema del *router*. Está fallando mucho.
a. Será   **b.** Sería

21 Para reciclar hay que separar papeles, _____, plásticos y metales.
a. vidrios   **b.** contenedores

22 El lugar donde se echan todas las basuras se llama _____.
a. colectivo   **b.** vertedero

23 *(En la sala de profesores).*
 ● ¿Me das _____ cuaderno?
 ▼ ¿_____ rojo? Toma.
a. ese / Este   **b.** aquel / Ese

24 Tiene un nombre especial en español que viene del mundo de la navegación por mar. Es como un cuaderno, pero virtual.
a. La bitácora o el *blog*
b. El internauta

La medida del tiempo

Al terminar esta unidad serás capaz de...

• Hablar de actividades que están y no están de moda.

• Contar historias.

• Hacer entrevistas.

• Evitar repeticiones usando los pronombres de OD y OI.

• Mostrar enfado.

• Preguntar y responder si alguien sabe algo usando nuevos recursos.

• Mostrar acuerdo y desacuerdo usando nuevos recursos.

• Llevar la contraria.

1. Pretexto

Calendario hebreo

Calendario musulmán

Calendario tibetano

Calendario maya

El astrónomo y filósofo griego Sosígenes midió el tiempo y nos dio un calendario de 365 días y 6 horas. Este calendario, asombrosamente exacto para la época, fue oficial durante el Imperio Romano. Después, cada cultura ha medido el tiempo a su manera. Por ejemplo, según el calendario gregoriano el siglo XXI comienza en 2001. Para los musulmanes este cambio de siglo fue en 1423 y para los tibetanos lo será en 2128.

Y en los calendarios judío y maya, que se remontan al origen de los tiempos, el año 2001 aparecía como 5761 y 5117 respectivamente.

1 Escucha, lee y contesta. 11

a ¿Cuáles son los calendarios más antiguos?
b ¿Qué papel tiene Sosígenes en la historia de los calendarios?
c ¿Por qué se menciona el Imperio Romano?
d ¿Recuerdas cómo se leen los números? Practícalos leyendo en voz alta el texto.

2 Y ahora reflexiona.

a ¿Podrías explicar por qué se usa el pretérito perfecto en *cada cultura ha medido el tiempo a su manera*?
b Después de leer el último párrafo, dinos, ¿el pretérito imperfecto presenta una costumbre?
La explicación puedes encontrarla en Contenidos gramaticales.

2. Contenidos gramaticales

1 El pretérito perfecto, el pretérito indefinido y el pretérito imperfecto.

a ¿Recuerdas cuándo se usan estos tiempos? Completa estos diálogos para comprobarlo.

1 ● Todavía no (venir) *han venido* los técnicos de la compañía de teléfonos.
  ▼ Normal, es que es pronto.

2 ● ¡Qué simpática (ser) _____ la profesora del curso pasado!
  ▼ Sí, todavía me acuerdo de sus clases.

3 ● ¿Quién (ir) _____ a la excursión del mes pasado?
  ▼ Yo.
  ● ¿Y (estar) _____ bien organizada?
  ▼ Sí, todo (salir) _____ muy bien.

4 ● Antes siempre (llevar, ella) _____ vaqueros, ahora solo se pone falda.
  ▼ Será porque antes (ser, ella) _____ estudiante y ahora es la directora del hotel.

5 ● ¿(Estar, ustedes) _____ en un hotel de cinco estrellas alguna vez?
  ▼ Yo no, nunca (tener, yo) _____ dinero suficiente.
  ■ Yo sí, pero solo en la recepción.

6   *(En una tienda de ropa)*
  ● Buenos días, ¿qué (desear, usted) _____?
  ▼ (Querer, yo) _____ probarme ese traje.

b Contrastes de significado.

Estudiamos aquí, por un lado, los rasgos comunes de los pasados que presentan la acción acabada, que nos informan de los hechos (p. perfecto y p. indefinido) y, por otro, el p. imperfecto que no nos informa del final de las acciones sino que las presenta ocurriendo, en su desarrollo; que habla de las circunstancias.

Pretérito perfecto / Pretérito indefinido	Pretérito imperfecto
1 Presentan las acciones acabadas. Y ambos son unidades de tiempo cerradas que expresan tiempo determinado. ● *¿Y los deberes?* ▼ *Ya los **he hecho**.* *El otro día **fui** al cine y **vi** una película estupenda.* ***He trabajado** en este proyecto toda mi vida.* ***Trabajé** varias horas y luego me fui a andar.*	1 Presenta las acciones, los hechos en su desarrollo, ocurriendo, sin informar de si han llegado o no hasta el final. ***Pensaba** hacer los deberes.* *Cuando te vi, **iba** al cine.* *En el calendario maya, el año 2001 **aparecía** como 5117.* Si queremos saber más, tenemos que preguntar: *Y al final ¿**hiciste** los deberes o no?* *Por fin, ¿**fuiste** o no **fuiste** al cine?* En el tercer ejemplo, se presenta el hecho de *aparecer* sin informar del final.

Pretérito perfecto / Pretérito indefinido	Pretérito imperfecto
2 Ambos se utilizan para presentar una sucesión de acciones. Con ellos «pasa» algo. Las acciones avanzan.	**2** Sirve para presentar el decorado, el escenario, el ambiente que rodea a los hechos. Por eso la acción no avanza.

2 Ambos se utilizan para presentar una sucesión de acciones. Con ellos «pasa» algo. Las acciones avanzan.

> *Me he acostado* y, como no podía dormir, *me he levantado*, *he tomado* un vaso de leche, *he leído* un poco y *he vuelto* a acostarme.
> *Me sentí* mal, *me puse* el termómetro, *vi* que tenía fiebre y *llamé* al médico.

ATENCIÓN

Durante + cantidad de tiempo + p. perfecto / p. indefinido

> *Durante unos minutos se quedó / se ha quedado* sin saber qué hacer, pero luego *reaccionó / ha reaccionado* y *ha actuado / actuó*.

Si expresamos costumbres, usamos el imperfecto.
> *Se quedaba* sin saber qué hacer durante unos minutos, pero luego *reaccionaba* y *actuaba*.

2 Sirve para presentar el decorado, el escenario, el ambiente que rodea a los hechos. Por eso la acción no avanza.

> *Esta mañana no he ido a trabajar porque no me sentía bien, tenía fiebre, me dolía todo el cuerpo.*
> *Aquel día no me sentía bien, tenía fiebre, me dolía todo el cuerpo, por eso llamé al médico.*
> La acción es 'no ir a trabajar' y 'llamar al médico'. El imperfecto presenta el decorado, la escena.

3 Como consecuencia de todo lo anterior, el imperfecto se utiliza para hablar de costumbres y para describir, es decir, para hacer presente el pasado.

> *En aquella época las mujeres no llevaban pantalones, estaba mal visto.*
> *Mira, en esta foto estábamos en Iguazú. Había mucha gente, pero en la foto no se ve a nadie.*

El imperfecto acompaña al perfecto y al indefinido para expresar el decorado, la escena.

> *Cuando me desperté, el dinosaurio todavía estaba allí.*
> *Cuando me he levantado, no había nadie en casa.*

Y NO OLVIDES

La diferencia fundamental entre el perfecto y el indefinido está en el límite temporal:

- El perfecto lo coloca en el presente del hablante con un 'hasta ahora'.
- El indefinido lo coloca fuera del presente del hablante.

2 Los pronombres de objeto directo e indirecto agrupados.

a ¿Recuerdas los pronombres de OI? Completa estos diálogos para comprobarlo.

1 ● ¿_____ interesan los deportes?
▼ No mucho.

2 ● _____ gusta mucho el mar. ¿Y a ti?
▼ Prefiero el bosque.

3 ● ¿Qué_____ pasa a tu hermana?
▼ Que_____ duele la cabeza.

4 ● ¿_____ apetece un té o un café?
▼ No, gracias, yo ya he tomado café.
■ Sí, gracias. Para mí un té.

b ¿Y los pronombres de OD? Completa para comprobarlo.

1 ● ¿Has leído ya ese libro?
   ▼ No, todavía no _____ he leído,
      pero _____ tengo en casa.

2 ● ¿Conoces a esas chicas?
   ▼ Sí, _____ conocí en una ex-
      posición de fotografía.

3 ● ¡Anda! Hay fruta en casa. ¡Qué bien!
   ▼ Claro, _____ he comprado esta
      mañana.

4 ● ¿Llamaste a Fran por su cumpleaños?
   ▼ Sí, _____ llamé el mismo día.

5 ● Voy a regar las plantas.
   ▼ No hace falta, _____ regué yo
      ayer.

c Ahora vamos a estudiarlos juntos.

Hay verbos que llevan un objeto indirecto de persona y un objeto directo de
cosa. Algunos de estos verbos son:

Comprar	Decir	Explicar			
Contar	Enseñar	Mandar	Prestar	a alguien	algo
Dar	Escribir	Pedir	Regalar	algo	a alguien

d ¿En qué orden aparecen los pronombres de objeto directo e indirecto?

  a Primero el pronombre de objeto indirecto y después el pronombre de objeto directo.
   ● *¿Te han dado ya tu regalo?*
   ▼ *No, dicen que <u>me lo</u> darán esta noche.*
         OI OD
   ● *Quiero una videoconsola, mamá.*
   ▼ *Bueno hijo, <u>te la</u> compraremos por tu cumpleaños.*
         OI OD

  b Este orden aparece también cuando se trata de verbos reflexivos.
   ● *¿Te has lavado las manos?*
   ▼ *Sí, ya <u>me las</u> he lavado.*
         OI OD

e ¿Qué transformaciones ocurren cuando se encuentran?

Le		
Les	+ lo, la, los, las ⟶	se lo, se la, se los, se las

● *No puedo esperar más, quiero darle la noticia a Francisco.*
▼ *Pues aquí está. Ya puedes *dárlela* ⟶ **dár<u>sela</u>.**

● *¿Les has enseñado a tus padres las notas?*
▼ *No, ahora voy a *enseñárlelas* ⟶ **enseñár<u>selas</u>.**

f ¿Dónde se colocan?

a Delante del verbo en forma conjugada.

¿Que no sabéis dónde están las ilustraciones? **Os las mandé** *por* e-mail *la semana pasada.*

b Detrás del imperativo afirmativo, formando una sola palabra.

Pues no las encontramos. Por favor, **mándanoslas** *otra vez.*

c Con los infinitivos y gerundios pueden ir delante del verbo en forma conjugada o detrás del infinitivo o gerundio, formando una sola palabra.

¿Te llegó el libro o tengo que **enviártelo** *otra vez /* **te lo tengo** *que enviar otra vez?*

(Hablando por el móvil)
- *Por favor recuerda que tienes que darle mi recado a Lola.*
▼ *Precisamente en este momento* **se lo estoy dando** */* **estoy dándoselo**.

- *¿Vas a* **secarte el pelo** *ahora?*
▼ *Sí, voy a* **secármelo** *ahora mismo / Sí,* **me lo** *voy a* **secar** *ahora mismo.*

3. Practicamos los contenidos gramaticales

1 **a Completa el diálogo usando una forma de pretérito perfecto o imperfecto.**

- Hoy (1) (dormir, yo) *he dormido* la siesta y (2) (soñar) _____ contigo.
▼ Me acuerdo perfectamente de todo.
- A ver... Cuenta, cuenta.
▼ Pues resulta que (3) (estar, nosotros) _____ paseando los dos por el parque, tú (4) (estar) _____ escayolada y yo te (5) (ayudar) _____ a andar.
- ¿Escayolada yo? ¡Qué extraño!
▼ Eso no importa. El caso es que solo (6) (haber) _____ parejas de enamorados que (7) (llevar) _____ un corazón rojo en sus camisetas. Yo (8) (intentar) _____ decirte que (9) (estar) _____ enamorado de ti, pero no (10) (encontrar, yo) _____ ninguna forma de expresar ese sentimiento. (11) (Querer, yo) _____ casarme contigo, pero no (12) (saber, yo) _____ cómo decírtelo.
- Oye, tú no estás bien de la cabeza. Ya sabes lo que pienso del matrimonio.
▼ Tranquila, mujer, solo (13) (ser) _____ un sueño.

b Y ahora, reflexiona.

a ¿Con qué verbos se presenta el decorado?

b ¿Con qué verbos no se informa del final de la acción?

c ¿Con qué verbos se expresa la acción acabada?

2 **Completa con una forma de pretérito indefinido o pretérito imperfecto. Fíjate en los escenarios, en las costumbres y en los hechos.**

Cuando (1) (ser, yo) *era* niña, (2) (vivir) _____ en un pueblo cerca de Salamanca hasta que mi familia (3) (trasladarse) _____ a la ciudad. La casa del pueblo (4) (estar) _____ junto al río y (5) (tener) _____ un pequeño jardín. La vida allí (6) (ser) _____ muy sencilla. (7) (Ir, yo) _____ a la escuela, (8) (aprender) _____ muchas cosas y (9) (jugar) _____ con mis amigos.
Los fines de semana (10) (ser) _____ diferentes. Mis amigos y yo (11) (ir) _____ al río y (12) (pasar) _____ allí todo el día. (13) (Nadar) _____, (14) (jugar) _____, (15) (tomar) _____ sol y (16) (divertirse) _____ mucho.

En 1972 mi familia y yo (17) (venir) _____ a Salamanca porque mi padre (18) (decidir) _____ dejar el trabajo en el campo y (19) (comprar) _____ una tienda. Antes (20) (cultivar) _____ patatas, tomates, zanahorias... cosas de la huerta.
Un lunes por la mañana (21) (levantarse, nosotros) _____ temprano, (22) (meter) _____ las maletas en el coche y (23) (viajar) _____ a la capital. Allí (24) (encontrar) _____ un piso en el centro y (25) (instalarse) _____. Me gusta vivir aquí, pero, de vez en cuando, vuelvo al pueblo para no olvidar dónde (26) (nacer, yo) _____.

3 **En parejas, contesta a las preguntas de tu compañero/a.**

1 ¿Por qué viniste a clase el viernes?

2 ¿Por qué no fuiste a clase la semana pasada?

3 ¿Qué lenguas has estudiado y por qué las has elegido?

4 ¿Qué hiciste el último verano?

5 ¿Cuándo te sacaste el carné de conducir?

6 ¿Por qué han llegado ustedes tarde?

4 **a Completa con el pasado adecuado: pretérito perfecto, pretérito indefinido o pretérito imperfecto.**

● Hola, ¿podría decirme si este lugar es la Tierra? Es que no sé dónde estoy. Y no (1) (poder, yo) *he podido* preguntar hasta ahora porque no (2) (haber) _____ nadie por aquí. Usted es el primer terrícola que encuentro.
▼ Pues claro, tío* estás en la Tierra. Y tú, ¿de dónde vienes?
● Vengo de XPHP, un planeta muy lejano. Allí (3) (empezar, nosotros) _____ a tener problemas con la superpoblación y (4) (ponerse, nosotros) _____ a buscar un lugar para emigrar. Y buscando, buscando, (5) (encontrar, nosotros) _____ este otro planeta. Nos (6) (gustar) _____ mucho, por eso (7) (construir, nosotros) _____ varias naves y las (8) (enviar) _____ para ver

si alguna (9) (llegar) _____ a la Tierra, pero parece que solo (10) (llegar) _____ la mía, que (11) (ser) _____ la más segura.
▼ ¿Me estás diciendo que eres un extraterrestre? Un poco raro sí pareces. Oye, ¿y qué os pasó en vuestro planeta?
● Que (12) (tener, nosotros) _____ demasiada gente, no (13) (haber) _____ comida para todo el mundo y nadie (14) (encontrar) _____ una solución hasta que yo, que soy un inventor muy famoso, (15) (pensar) _____ en enviar gente fuera.
▼ Mira, eso se llama emigrar y lo hacemos en la Tierra desde hace mucho tiempo y no lo (16) (inventar) _____ nadie.

* **TÍO**: *expresión coloquial, para dirigirse a las personas.*

b **Y ahora, en parejas, leed el texto dándole la entonación adecuada.**

Fijaos en que la chica habla con mucha confianza a una persona mayor que no conoce. Ocurre entre gente joven de determinados países.

5 **Hemos suprimido la viñeta final de esta historieta. En parejas completadla, pero antes tenéis que contar toda la historieta paso a paso.**

María aquel día iba a preparar la cena.

6 **Lee y fíjate en los pronombres. Algunos están mal colocados. ¿Puedes colocarlos en su lugar correcto?**

Mi regalo es una sorpresa, por eso no te puedo enseñarlo.
*... no **te lo** puedo enseñar / no puedo enseñár**telo**.*

1 Nunca me cuentas nada. Yo, en cambio, cuéntotelo todo, no tengo secretos para ti.

2 Aquí tenéis el paquete. Os lo he envuelto bien, así no se estropeará durante el viaje.

3 La semana pasada le compré un regalo a la profesora porque mañana es su cumpleaños. Se lo pensaba dar hoy, pero ha llamado para decir que no viene. ¿Qué hago? ¿Llévoselo a su casa o se lo doy mañana antes de la clase?

4 No comprendo por qué ha aprobado Pedro y nosotros no. Vamos a hablar con el profesor. Tiene que explicárnoslo, si no, vamos a se lo contar a la directora.

5 Señor agente: usted no me cree, pero yo le estoy diciendo la verdad. Se la estoy diciendo desde el principio y usted sigue sin creerme.

7 **Completa usando los pronombres necesarios.**

1 ● ¿Vas a contarle la verdad a tu novio?
  ▼ Sí, *se la* contaré, pero no sé cuándo.

2 ● ¿Les damos los regalos a los niños esta noche o el día de Navidad?
  ▼ Yo preferiría dar _____ esta noche.
  ● ¿Esta noche? Pues yo _____ daría mañana, así se levantarán pensando en la sorpresa de los regalos.

3 ● Todavía no me has enseñado el premio que ganaste en el campeonato de ajedrez.
  ▼ ¿No? Pues ahora mismo _____ enseño.

4 ● Patricia, por favor, ¿me prestas tu cazadora de cuero para esta noche?
  ▼ ¡Vaya! No puedo prestar _____ porque _____ he prestado a Raquel. _____ pidió antes que tú. Lo siento, de verdad.

5 ● ¿Y la ropa que estaba encima de mi cama en una bolsa de plástico?
  ▼ Pensé que ya no _____ querías y _____ he dado a la gente que cuida a los chicos de la calle.
  ● ¡Ah! Vale. Yo también pensaba llevar _____.

8 **Llevar la contraria.**

Este juego consiste en responder llevando la contraria a lo que aparece en las casillas. Se puede jugar en parejas o en grupos de cuatro. Se necesita un dado y unas fichas.

Reglas del juego.

1 Cada jugador/a coloca sus fichas en la SALIDA.

2 Se tira el dado y se coloca la ficha en la casilla correspondiente.

3 Hay que reaccionar en 15 segundos a lo que aparece en las casillas llevando la contraria y siguiendo la indicación, como en el ejemplo.

    Pregunta de la casilla: *¿Vas a escribir una postal a tu hermano?*

    Respuesta válida: *No, se la escribiré a mi novio.*

4 Si la respuesta es correcta, se puede volver a tirar una vez más. Si no, pasa el turno.

5 Si la ficha cae en casillas sin pregunta, se hará lo que allí se pide.

6 Gana quien primero llega a la casilla LLEGADA.

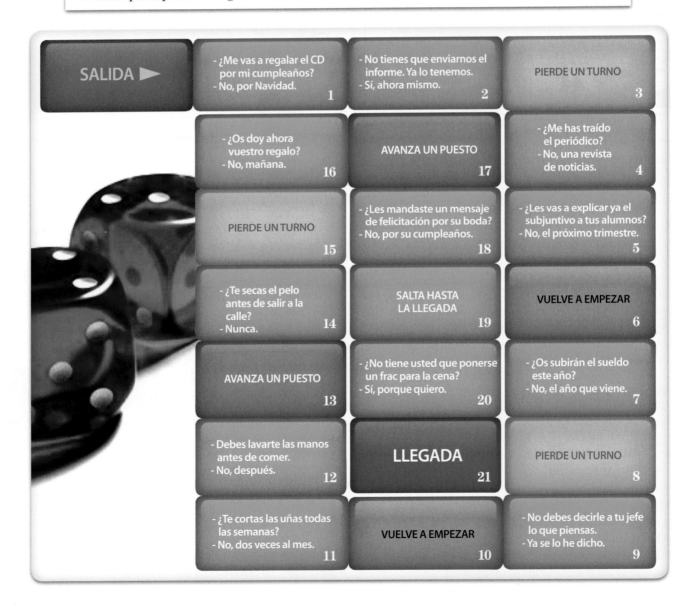

SALIDA ▶

- ¿Me vas a regalar el CD por mi cumpleaños?
- No, por Navidad.
1

- No tienes que enviarnos el informe. Ya lo tenemos.
- Sí, ahora mismo.
2

PIERDE UN TURNO
3

- ¿Os doy ahora vuestro regalo?
- No, mañana.
16

AVANZA UN PUESTO
17

- ¿Me has traído el periódico?
- No, una revista de noticias.
4

PIERDE UN TURNO
15

- ¿Les mandaste un mensaje de felicitación por su boda?
- No, por su cumpleaños.
18

- ¿Les vas a explicar ya el subjuntivo a tus alumnos?
- No, el próximo trimestre.
5

- ¿Te secas el pelo antes de salir a la calle?
- Nunca.
14

SALTA HASTA LA LLEGADA
19

VUELVE A EMPEZAR
6

AVANZA UN PUESTO
13

- ¿No tiene usted que ponerse un frac para la cena?
- Sí, porque quiero.
20

- ¿Os subirán el sueldo este año?
- No, el año que viene.
7

- Debes lavarte las manos antes de comer.
- No, después.
12

LLEGADA
21

PIERDE UN TURNO
8

- ¿Te cortas las uñas todas las semanas?
- No, dos veces al mes.
11

VUELVE A EMPEZAR
10

- No debes decirle a tu jefe lo que piensas.
- Ya se lo he dicho.
9

4. Contenidos léxicos

La ropa y los complementos.

1 Fíjate en el nombre de las prendas y complementos y escríbelos debajo de cada una.

> paraguas • abrigo • bañador • guantes • falda • bufanda • camiseta • jersey
> camisón • pantalón • calcetines • medias • ropa interior • biquini

1 _____   2 _____   3 _____   4 _____   5 _____   6 _____   7 _____

8 _____   9 _____   10 _____   11 _____   12 _____   13 _____   14 _____

5. Practicamos los contenidos léxicos

1 En parejas, volved a leer el vocabulario anterior y pensad en para qué sirve cada prenda o complemento.

2 Ahora, en grupos de tres, escribid la palabra correspondiente a cada definición. Usad el diccionario si lo necesitáis.

Conjunto de chaqueta y pantalón o chaqueta y falda.

1 _____

Prenda de vestir femenina de una sola pieza.

2 _____

Objeto redondo que se cose a la ropa para poder abrocharla.

3 _____

Parte exterior del zapato que sirve para levantarlo del suelo.

4 _____

ROPA

Conjunto de camisa y pantalón que se usa para dormir.

5 _____

Tejido hecho con el hilo producido por algunos gusanos.

6 _____

Parte de la ropa que se pone en la unión de la cabeza y el tronco.

7 _____

Trozo de tela que se cose a la ropa y sirve para meter cosas dentro.

8 _____

3 Y para no olvidar estas palabras, decidnos: ¿qué está de moda este año?

6. De todo un poco

1 Interactúa.

A El tiempo influye en nuestras costumbres, nuestras modas. En parejas, comentad las que damos a continuación y señalad cuáles están de moda y cuáles están anticuadas.

Chatear, el teléfono móvil, el *piercing*, el tatuaje, la comida rápida, salir de marcha* después de las 12 de la noche, leer novelas, tener animales en casa, casarse por la iglesia, hacer deporte, el rock and roll, el turismo rural, conocer la vida de los famosos, el botellón*, la filosofía oriental, fumar, escribir cartas, los zapatos con plataforma, los hombres con pelo largo, los concursos de televisión, los deportes de aventura, ponerse muy moreno, ser ecologista, viajar a países exóticos, hacerse operaciones de cirugía estética...

__SALIR DE MARCHA:__ salir por las noches a divertirse.
__EL BOTELLÓN:__ costumbre de comprar las bebidas y los vasos en una tienda o supermercado y consumirlos en la calle.

En Hispanoamérica, **salir de marcha** se dice de otro modo.
Así: en Colombia, *salir a rumbear*, en Guatemala *parrandear*, en México, *irse de reventón* o en Chile, *carretear*.

B La coartada.

La coartada es una prueba que presenta una persona para demostrar que es inocente de un asesinato, un robo, etc., demostrando que en el momento en que eso pasó, estaba en otro lugar haciendo otra cosa.
En este caso el tiempo es importante por otra cosa. Si recuerdas dónde estabas, puedes salvarte.

Este es el caso.
Falta bastante dinero de la caja de la escuela. El robo ha sido entre las 9:00 y las 11:00. Se sospecha de todos los estudiantes. Un grupo tiene que interrogar a otro y luego la clase, a modo de jurado popular, debe votar quién es el más sospechoso, esto es, quién tiene la peor coartada.

¿Qué has hecho hoy entre las 9:00 y las 11:00? ¿Con quién estabas? ...

C En las historias siempre hay más de un punto de vista.

1 Lee la historieta. ¿La entiendes? Si no, pregunta a tu compañero/a o a tu profesor/a.
2 Con tu compañero/a representa a la madre y al hijo. Los dos están enfadados.
3 Otro compañero/a será el padre. ¡Qué papel tan difícil! ¿A quién va a dar la razón?
  ¡¡¡Suerte!!!

© Pérez Navarro + Sempere

2 Habla.

1 Mira esta viñeta e inventa tu versión de la historia. Debes explicar:
  a Dónde ha estado Elma y por qué Gommer no ha ido con ella.
  b Qué relación hay entre ellos.
  c Qué problemas ha habido en ausencia de Elma.

2 Luego, comparad las diferentes versiones y comentadlas.

3 Escucha, lee e interactúa. 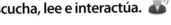 12

A ¿Sabes si Leticia se fue a México?

1 Antes de escuchar.
  a ¿Qué te sugiere el título?
  b ¿Sabrías decir lo mismo de otra manera?

3 Vuelve a escuchar y anota.
  a Los temas por los que se pregunta.
  b Quién pregunta (es una persona joven, mayor...).
  c Qué recursos se usan para responder.

2 Escucha y contesta las preguntas.
  a ¿Qué están haciendo las personas que hablan?
    a Pedir permiso.
    b Preguntar si alguien sabe algo.
    c Animar a alguien a hacer algo.
  b ¿Entiendes claramente las preguntas y respuestas?
    Explica tus dificultades.

RECURSOS		
Preguntar a alguien si sabe algo	**Contestar que sí**	**Contestar que no**
¿Qué sabes de...?	Sí, ya lo sé.	No, no lo sé.
¿Sabes si...?	Sí, ya sé que...	No, no tengo ni idea.
¿Te has enterado de que...?	Sí, he oído hablar de eso.	Ni idea.
¿Te has dado cuenta de que...?	Sí, ya me he dado cuenta.	No sé nada de...
¿Has oído que...?	Sí, me lo han dicho.	¡Y yo qué sé!
¿Tienes idea si...?		No sabía nada.

FÍJATE

¡Y yo qué sé! Con esta respuesta se transmite la idea de que no se quiere hablar del tema o que no interesa en absoluto.

B Te toca.

- Con tu compañero/a vas a elaborar una serie de preguntas sobre diferentes asuntos usando los recursos que habéis visto.

- Preguntad al resto de la clase. En las respuestas hay que usar los recursos estudiados.

4 Escucha. 🔊 13

El tiempo y la moda.

La moda es algo unido al paso del tiempo. Podemos reconocer diferentes épocas viendo cómo se vestía la gente o las cosas que solían hacer. Pero, para mucha gente, la moda es una tiranía. Otras personas en cambio opinan que es un signo de los tiempos. Por eso hoy hemos salido a la calle a preguntar.

1 Escucha las entrevistas y toma nota de las ideas que transmite cada persona.

a ¿Defienden la moda?

b ¿Creen que la moda tiene aspectos positivos?

c ¿Hablan solo de ropa o también de otras cosas?

2 Vuelve a escuchar y subraya en cada recuadro las opiniones que has escuchado a cada una de las personas entrevistadas.

Hombre
- *Los hombres y mujeres que siguen la moda parecen pinturas.*
- *Los grupos musicales modernos siempre tienen el mismo ritmo.*
- *La verdadera pintura no es la moderna.*
- *El mundo camina hacia la estupidez.*

Chica
- *La moda incluye costumbres sanas.*
- *Seguir la moda no es divertido.*
- *Seguir la moda es igual que estar al día.*
- *La moda puede esclavizar.*

Mujer
- *Lo clásico no está de moda.*
- *Los hombres no pueden llevar mucho tiempo el mismo traje.*
- *Las mujeres quieren estar siempre a la última moda.*
- *Los jóvenes que siguen la moda afirman su personalidad.*

3 Para terminar, debatid sobre los aspectos positivos y negativos de seguir las modas.

5 Lee.

1 Antes de leer.

a ¿Cuántos tipos de relojes conoces?

b ¿Cuál crees que fue el primer reloj usado por los seres humanos?

c ¿Qué crees que vas a encontrar al leer el texto?

2 Durante la lectura.

a Subraya las palabras relacionadas con pueblos y culturas. Piensa en por qué se mencionan.

b Anota los diferentes tipos de relojes y lo que dice sobre quiénes los usaban.

3 Después de leer.

1 Contesta.

a ¿Cómo se medía el tiempo en los orígenes de la Humanidad?

b ¿Qué diferencia hay entre una clepsidra y un reloj de arena?

c ¿Dónde aparecieron los primeros relojes públicos?

d ¿Cuál es el origen del reloj de cuco?

2 Habla.

a Señala las diferencias entre tus hipótesis iniciales y la lectura del texto.

b ¿Qué has aprendido que no sabías?

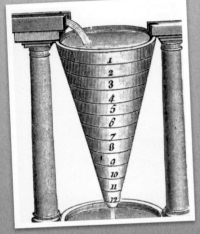

Ante la necesidad de controlar el tiempo, las antiguas civilizaciones se guiaban por el día y la noche o los ciclos de la luna.

El primer reloj creado por el ser humano fue el solar, que indicaba los momentos del día por la sombra del sol. Se cree que los chinos lo usaron aproximadamente 3000 años antes de Cristo y también lo usaron los egipcios e incas. Pero solo servía de día.

Los romanos marcaban velas en forma de regla para controlar el tiempo en la noche.

El reloj de agua o clepsidra indicaba la hora durante la noche al vaciarse el agua que contenía; el más antiguo de estos se encontró en un templo egipcio y parece que fue fabricado hace más de tres mil años, aproximadamente. Lo usaron en Babilonia, Egipto, Grecia y Roma.

El reloj de arena apareció en el siglo III después de Cristo. Consistía en dos recipientes esféricos de vidrio unidos con un estrecho canal que comunicaba ambas partes. Servía para controlar todo un día. Según los libros del rey español Alfonso X «El Sabio», se logró controlar me-

cánicamente el tiempo con un movimiento rotario continuo y regular. Con este mecanismo nació el reloj mecánico.

El primer motor de reloj fue el de pesas, aparecido en el siglo VIII. Aproximadamente en el año 1300 fue posible ver estos relojes en las iglesias de Europa. El reloj más antiguo está en la Catedral de Salisbury (Reino Unido).

El conocido como reloj de cuco nació en los bosques alemanes; allí es común un pájaro de plumaje gris ceniza que lo hace poco visible y emite en primavera un canto parecido al cucú. Este canto dio origen al sonido que lleva a los pájaros del bosque a nuestras casas.

Pero fue en Suiza donde los relojes se hicieron famosos. Hacia 1535, un grupo de personas, perseguidas por sus creencias religiosas, encontraron refugio entre las montañas del Jura y los Alpes. Allí, en medio de la tranquilidad, creció y se desarrolló el trabajo técnico artesanal que ha llegado hasta nuestros días.

6 Escribe.

Busca una revista de moda. Escribe los títulos de las secciones que trata. Haz un resumen de alguna de ellas. Di las que, en tu opinión, son interesantes y las que te parecen una estupidez.

Para argumentar tu opinión puedes usar los recursos que ya conoces.
- *Porque*: para expresar causa.
- *Así que*; *por eso*: para expresar consecuencia.

La estructura de tu texto debe ser esta:
- Una introducción para presentar los hechos y captar el interés.
- Un desarrollo con tus argumentos a favor o en contra.
- Una conclusión para resumir lo expuesto.

Si no sabes qué decir, haz con tu compañero/a una lluvia de ideas.
Luego, organízalas en argumentos a favor y en contra.

Aquí tienes un ejemplo.

Hay revistas de moda que son basura. En cambio, otras merecen un respeto y por eso no se puede generalizar.

La revista XXYY me gusta mucho, en primer lugar porque la imagen es agradable, empezando por las portadas que no son agresivas. En ellas no solo aparecen modelos, también escritoras, actrices. Pero siempre muy delgadas. Y eso es un fallo: queremos ver gente famosa NORMAL.

En las primeras páginas están las cartas de las lectoras, bien seleccionadas. Las entrevistas son interesantes. Las críticas de música, lectura, ocio, viajes, etc., son estupendas. Yo creo que tienen muy buen criterio.

Quien compra este tipo de revistas debe saber que XXYY es una revista de MODA y por eso no debe esperar artículos científicos. Pero, teniendo eso en cuenta, creo que es una de las mejores y más serias, porque no solo encontramos ropa, cosmética y todo lo anterior. También explican, por ejemplo, qué es el *mobbing* o cómo hacer una entrevista de trabajo. En conclusión, yo la recomiendo por todo lo dicho.

Vamos a contar historias

Al terminar esta unidad serás capaz de...

• Contar anécdotas y cuentos usando todo tipo de tiempos del pasado.

• Describir y contar una historieta.

• Expresar opiniones usando nuevos recursos.

• Comprender anuncios escritos y contestar.

• Llegar a acuerdos.

• Interpretar historietas y representar un personaje.

• Imaginar el posible final de una historia de misterio.

• Mejorar tu ortografía y tu fonética.

1. Pretexto

Un abrazo muy peculiar

Un día, mi padre fue a comer a un restaurante con unos amigos. Le habían dicho que era muy bueno y que estaba muy bien de precio. La comida fue un desastre. Todos empezaron a discutir con el pobre camarero, que no tenía culpa de nada. Mi padre llamó al dueño y le dio un abrazo. El propietario, asombrado, le preguntó:

- ¿Tan contentos han quedado con la comida?
Y mi padre dijo:
- No, es que como no pienso venir nunca más, quería despedirme de usted para siempre.

Pero, ¿qué pasa?

Yo había pasado un día estupendo subiendo y bajando montañas, estaba muy cansado y me fui a mi tienda a dormir. Llevaba un rato durmiendo cuando me desperté asustado porque había sentido que la tienda se movía. «Es una pesadilla», pensé. Busqué la linterna, pero me la había dejado fuera; encontré unas cerillas, pero no pude encenderlas, así que empecé a tocar el suelo y sí, se movía. Salí de la tienda, agarré la linterna y me puse a buscar la causa de lo que había notado dentro. Después de un rato vi un bulto que se movía, que se desplazaba. Era un topo despistado.

1 **Escucha, lee y contesta.** 🗣 14

a El restaurante de la primera historia, ¿es caro o barato?
b ¿Cómo fue la comida?
c ¿Cómo reaccionó el padre de la narradora?
d En la segunda historia, ¿dónde está el narrador?
e ¿Por qué está tan cansado?
f ¿Cuál es la causa de su susto?

2 **Y ahora reflexiona.**

a Señala en las dos historias las formas de pasado que ya conoces.
b Fíjate en la forma nueva que aparece y subráyala. ¿Qué crees que expresa: una acción anterior o una acción posterior a otra pasada? La explicación puedes encontrarla en Contenidos gramaticales.

2. Contenidos gramaticales

1 Pretéritos perfecto, indefinido e imperfecto.

a ¿Recuerdas cuándo se usan el pretérito imperfecto y los pretéritos perfecto e indefinido? Aquí tienes unas reglas que ya has visto.
Escribe debajo de cada una a qué tiempo corresponden.

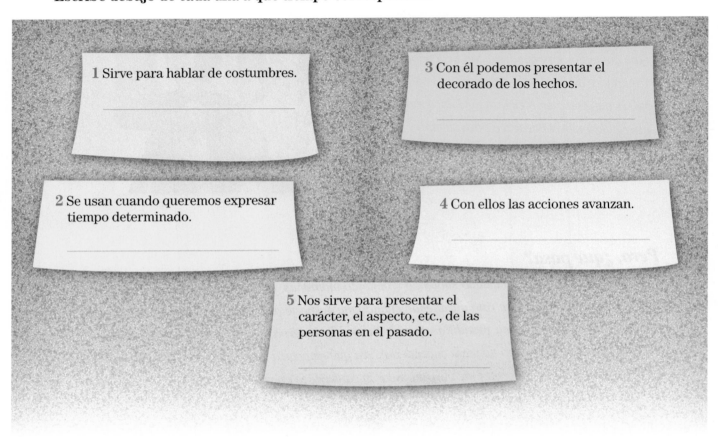

1 Sirve para hablar de costumbres.
_____

3 Con él podemos presentar el decorado de los hechos.
_____

2 Se usan cuando queremos expresar tiempo determinado.
_____

4 Con ellos las acciones avanzan.
_____

5 Nos sirve para presentar el carácter, el aspecto, etc., de las personas en el pasado.
_____

Si quieres, añade otros casos que no hemos incluido.

b **Ahora transforma los infinitivos adecuadamente.**

1 ● Tienes los ojos rojos, ¿qué te (pasar) _____?
   ▼ Que (trabajar, yo) _____ muchas horas con el ordenador.

2 La casa de mi abuela (parecer) _____ un castillo, (tener) _____ muchas habitaciones y todo (ser) _____ misterioso.

3 Cuando (ser, nosotros) _____ niños, (vivir) _____ con unos tíos mayores. (Tener, ellos) _____ mal carácter y (enfadarse) _____ por todo lo que (hacer, nosotros) _____.

4 ● ¿Qué (hacer tú) _____ cuando (volver) _____ a casa después de la fiesta?
   ▼ Primero me (poner) _____ cómoda y luego (llamar) _____ a todos mis amigos para contarles lo bien que lo he pasado.

c Ya sabes que, cuando contamos historias, unas veces nos referimos a las acciones y otras veces nos referimos al decorado que rodea la acción o describimos los lugares y a las personas y sus estados de ánimo.

> *Esta mañana **he ido** (acción) al parque porque **había** (decorado) una exposición de sellos antiguos y **he encontrado** (acción) dos maravillosos.*

Cuando el hablante está fuera de la unidad de tiempo (recuerda las Unidades 2 y 3), en lugar del pretérito perfecto usamos el pretérito indefinido para las acciones, pero seguimos usando el pretérito imperfecto para ambientes, descripción de personas y lugares.

> *Ayer **fui** a un bar (acción), la música **estaba** altísima (ambiente, decorado), **había** mucho humo (decorado) y por eso **me marché** (resultado de la acción).*

> ***Me sentía** (estado de ánimo) muy deprimido, **llamé** (acción) a Ángela, **hablé** (acción) un buen rato con ella y me **animé** (resultado de la acción).*

Completa para asegurarte de que lo sabes.

> No (1) (poder, yo) _____ ir a Lanzarote porque no (2) (tener) _____ dinero, pero una amiga me lo (3) (prestar) _____ y (4) (ir, yo) _____. (5) (Pasar, yo) _____ allí unos días estupendos.

2 Pretérito pluscuamperfecto.

Forma	Uso
había habías había habíamos habíais habían + participio → hablado → comido → vivido	Imagina que estás contando una serie de hechos pasados: 1, 2, 3, 4..., como en el Pretexto. Si hablas del 1, del 3 y del 4 y quieres volver al 2, **tienes que usar el p. pluscuamperfecto porque sirve para expresar una acción pasada anterior a otra también pasada.** Con él decimos que algo había ocurrido (o no) antes de ese momento.

FÍJATE

• La anterioridad puede establecerse con el pretérito perfecto y con el pretérito indefinido.

> ● *¿Por qué no has traído el informe?*
> ▼ *Porque lo **había metido** en un cajón y al salir de casa lo he olvidado.*

> ● *¿Por qué llegaste tarde al examen?*
> ▼ *Porque no **había puesto** el despertador y me dormí.*

• La relación de anterioridad puede expresarse con otros recursos, no solo con un verbo.

> *Ayer, a las siete de la mañana, ya **me había levantado**. (Significa que me levanté antes de las siete.)*

> *Era una superdotada. A los cuatro años ya **había aprendido** a leer. (Significa que aprendió a leer antes de los cuatro años.)*

3 Ortografía y fonética.

Te presentamos algunas reglas sobre la pronunciación y la ortografía del español, que debes recordar.

No se pronuncia la '*u*' que va en '*gue*' y en '*gui*': *guerra*, *guitarra*; ni la que va en '*que*' y en '*qui*': *queso*, *quiero*. Sí se pronuncia la '*u*' cuando va escrita así: '*ü*', *pingüino*, *vergüenza*.

La '*h*' nunca se pronuncia. *Alcohol* se pronuncia *alcool, hospital* se pronuncia *ospital*.

La '*b*' y la '*v*' se pronuncian igual (el sonido es el de la '*b*'): *botella*, *vaso*.

Hoy en día tampoco hay diferencia entre la '*ll*' y la '*y*', excepto en algunas zonas del norte de España: *llave, yo*.

Za / ce / ci / zo / zu se pronuncian como θ en toda España excepto en algunas zonas de Andalucía, en Canarias y en Hispanoamérica donde se pronuncian como '*s*'.

Detrás de L, N y S se escribe '*r*', pero suena '*rr*': *Israel, Enrique, alrededor*.

No existe diferencia de pronunciación entre '*ge*' y '*je*', ni entre '*gi*' y '*ji*': *general, jefa, gitano, jirafa*.

En español hay solo cuatro consonantes que pueden duplicarse. Para recordarlo tienes la palabra CaRoLiNa: *acción, perro, lluvia, innecesario*.

La '*ph*' no existe en español, siempre se escribe *f*.

3. Practicamos los contenidos gramaticales

1 **Completa con los pretéritos pluscuamperfecto, indefinido o perfecto.**

1 ● ¿Sabes si Antonio (viajar) _ha viajado_ al extranjero?
▼ Con 25 años no (salir) _____ de casa.
● Pues a esa edad yo ya (ver) _____ medio mundo.

2 ● Antes de entrar en el supermercado (trabajar, yo) _____ en otros sitios.
▼ ¡Qué suerte! En cambio yo estoy en paro desde 2008, cuando (terminar) _____ mis estudios.

3 ● Cuando (ir, yo) _____ a comprar el pantalón, lo (vender, ellos) _____.
▼ ¿Y por qué no lo (comprar, tú) _____ cuando lo (ver) _____?
● Porque no sabía si me (pagar, ellos) _____ y en ese momento no llevaba dinero.

4 ● Los niños ya (dormirse) _____; (caer) _____ en la cama agotados.
▼ Claro, es que (jugar) _____ mucho en el parque.

5 ● Miguelito, ¿por qué me traes el cuaderno de los deberes con una hoja estropeada?
▼ ¿Estropeada? Pues no la (ver, yo) _____ cuando lo (meter) _____ en la cartera.

6 ● Esta mañana cuando (llegar, nosotros) _____ a la estación, el tren ya (irse) _____.
▼ ¿Y qué (hacer) _____?
● Pues (esperar, nosotros) _____ el tren de las 14:30.

7 ● Nunca estás en casa. Anoche te (llamar, yo) _____ y otra vez (saltar) _____ el contestador.
▼ Es que me (poner) _____ los auriculares y no (oír) _____ el teléfono.

8 ● Kris, hablas muy bien español. ¿Lo (estudiar, tú) _____ en tu país?
▼ Sí, (empezar) _____ a estudiarlo hace muchos años, pero no (poder, yo) _____ practicarlo hasta venir aquí.

2 Completa con una forma correcta del pasado.
Antes de empezar, contesta a estas preguntas:

a Si la casa está revuelta, ¿hay orden o desorden?
b Una colección de LPs, ¿es una colección de sellos o de discos?
c ¿Qué busca la policía si busca huellas: marcas físicas de las personas o bien personas que han visto un robo?

Cuando (1) *llegué* a mi casa, me (2) (dar) _____ cuenta de que me (3) (robar, ellos) _____.
La puerta (4) (estar) _____ abierta y la casa totalmente revuelta. (5) (Entrar, yo) _____ en el salón: (llevarse, ellos) (6) _____ el aparato de música, pero (7) (dejar) _____ el televisor de plasma en su sitio. Mi vieja colección de LPs (8) (estar) _____ allí; no la (tocar, ellos) (9) _____.
Enseguida (10) (mirar, yo) _____ en el dormitorio. Allí sí que (haber) (11) _____ desorden. (12) (Parecer) _____ que (13) (haber) _____ un terremoto: los cajones (14) (estar) _____ abiertos y la ropa (15) (estar) _____ por el suelo. Seguramente (16) (querer, ellos) _____ dinero o joyas. (17) (Comprobar, yo) _____ si (18) (faltar) _____ algo y (19) (ver) _____ que solo me (20) (quitar, ellos) _____ unos pendientes que no (21) (valer) _____ nada.
A continuación (22) (llamar, yo) _____ a la policía, que (23) (venir) _____ enseguida. (24) (Tomar, ellos) _____ fotos, (25) (buscar) _____ huellas y me (26) (hacer) _____ muchas preguntas.

3 Rompecabezas.
En parejas, poned un poco de orden en estas cinco noticias. Para ello tenéis que relacionar las tres columnas de manera lógica, como en el ejemplo. O de manera divertida.

A Una anciana que volvía a casa al anochecer...

I ...se manifestaron por las calles....

1 ...que era necesaria una política económica menos conservadora.

B Durante un mitin, el jefe de la oposición...

II ...declaró en una entrevista para una cadena de televisión...

2 ...la política del Gobierno.

C Los estudiantes de periodismo...

III ...pusieron una denuncia contra sus vecinos...

3 ...que le robaron el bolso con todos sus ahorros.

D Dos hermanas que vivían en un piso del centro...

IV ...atacó violentamente...

4 ...para pedir más libertad de expresión.

E El Ministro de Hacienda....

V ...fue agredida por dos jóvenes...

5 ...porque celebraban fiestas muy ruidosas.

Podéis añadir más información.

4 **Di si estas palabras están bien escritas. Si están mal, corrígelas.**

1 frequencia _____
2 diferente _____
3 cuello _____
4 gitano _____
5 llegé _____
6 aparcé _____
7 famillia _____
8 architecto _____
9 jirafa _____
10 posible _____
11 boracho _____
12 gente _____
13 empezé _____
14 zielo _____
15 quidado _____
16 güerra _____

5 **Trabalenguas.** 🎧 15

Los trabalenguas pertenecen a la literatura oral. Son parte del folclore de los pueblos, por esa razón es posible encontrar distintas versiones de los mismos. Son juegos de palabras con sonidos difíciles de pronunciar juntos. Lo interesante de los trabalenguas está en poder decirlos con claridad y rapidez, aumentando la velocidad sin dejar de pronunciar ninguna de las palabras.

Aquí tienes algunos. Pásalo bien jugando con ellos y no te enfades si no te salen, a nosotras también nos cuesta.

1. Cuando cuentes cuentos, cuenta cuántos cuentos cuentas, porque si no cuentas cuántos cuentos cuentas, nunca sabrás cuántos cuentos cuentas tú.

2. El perro de san Roque no tiene rabo porque Ramón Ramírez se lo ha robado.

3. Un tigre, dos tigres, tres tristes tigres comen trigo en un trigal.

4. Pablito clavó un clavito, un clavito clavó Pablito. ¿Qué clase de clavito clavó Pablito?

5. Como poco coco como, poco coco compro.

6. Rápido corren los carros, cargados de azúcar del ferrocarril.

7. Pepe Peña, pela papa, pica piña, pita un pito, pica piña, pela papa, Pepe Peña.

8. El amor es una locura que solo el cura lo cura, Pero el cura que lo cura comete una gran locura.

4. Contenidos léxicos

1 **Ya has estudiado lo relacionado con los colores, el clima y el paisaje. Lee esta lista de palabras para recordar.**

blanco
azul
amarillo (dorado)
rojo
verde
marrón (ocre)
negro
gris
rosa
morado
violeta

la lluvia (llover)
la nieve (nevar)
el granizo (granizar)
el viento (hacer viento)
la niebla (haber niebla)
el frío (hacer frío)
el calor (hacer calor)
el hielo (helar)

el río
la montaña
el mar
el bosque
el árbol
la selva
el desierto
la isla

5. Practicamos los contenidos léxicos

1 Lee la historia de Blanca y escribe un breve relato usando elementos de las tres columnas que has repasado antes del vocabulario anterior. También puedes relacionar los colores con lo que te sugieran.

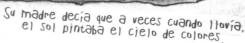

- *De pequeña mis hermanos y yo íbamos al bosque a buscar setas. Recuerdo que los colores más bonitos eran los ocres y los dorados.*

- *A mí el amarillo me hace pensar en el desierto y cuando pienso eso, tengo mucha sed.*

6. De todo un poco

1 Interactúa.

A Cuentos.

1 ¿Recordáis los cuentos infantiles como Caperucita roja, Hansel y Gretel, Sherezade o algún cuento de vuestro país? Con ayuda de vuestro/a profesor/a, vais a contar uno en versión original.

Para contar el cuento:
- Introducir el cuento: Érase una vez... / Había una vez...
- Presentar el ambiente y describir las cosas y las personas: pretérito imperfecto.

- Presentar acciones: pretérito indefinido.
- Hacer avanzar las acciones en contraste con la descripción: pretérito indefinido.
- Acciones en desarrollo: pretérito imperfecto.
- Volver a hechos anteriores: pretérito pluscuamperfecto.
- Terminar el relato: total que / al final + indefinido.

Tened en cuenta también:

QUIÉN	**DÓNDE**	**CUÁNDO**
El / la protagonista	*El país / la región...*	*Las épocas*
Los personajes secundarios	*Los lugares...*	*Las costumbres*

QUÉ PASÓ	**QUÉ HIZO**	**¿TUVO AYUDAS?**
Dificultades	*Cómo resuelve los problemas*	*De un animal*
Problemas		*De un personaje mágico*
		De un objeto mágico

EL FINAL
Los cuentos tradicionales suelen terminar así en español: *Y colorín colorado, este cuento se ha acabado.*

• Personajes del cuento.	• Acción del cuento original.
• Personajes adaptados.	• Acción adaptada.

2 Escucha la adaptación que hizo el grupo de Karin.  16
   Identifica el cuento original y toma nota de los cambios.

3 Por último, escribid vuestro cuento.

B Historias de viajes.
   Sin duda ya habéis visitado distintas ciudades europeas o americanas. Señala en este mapa las que conocéis y explicad a vuestros/as compañeros/as cuándo estuvisteis, lo que más os gustó y por qué, lo que menos os gustó y por qué.
   ¿Podéis contar algún recuerdo o anécdota de esos viajes?

2 Habla.

1 Mira esta viñeta y cuenta a tus compañeros/as tu versión de la historia. Debes explicar:

   a Qué quiere la chica.
   b Qué relación hay entre los chicos.
   c Cuántas motos aparecen en la historia y qué pasa con ellas.
   d Cómo crees que termina realmente la historia.

2 Luego, comparad las diferentes versiones y comentadlas.

3 Escucha, lee e interactúa. 🎧 17

A **¿Y a ti qué te parece?**

1 **Antes de escuchar.**
   a ¿Qué te sugiere el título?
   b ¿Sabrías decir lo mismo de otra manera?

3 **Vuelve a escuchar y anota.**
   a Los temas sobre los que se pregunta.
   b La relación (formal o informal) que existe entre quien pregunta y las personas preguntadas.
   c Cómo se pregunta.

2 **Escucha.**
   a ¿Qué están haciendo las personas que hablan?
      a. Hablar de sus aficiones.
      b. Aceptar y rechazar un plan.
      c. Preguntar y expresar opiniones.
   c ¿Entiendes claramente las preguntas y las respuestas? Explica tus dificultades.

RECURSOS PARA PREGUNTAR Y DAR UNA OPINIÓN	
Preguntas	**Respuestas**
¿Qué opinas / opina usted de / sobre...? ¿Qué te / os / les parece + nombre singular? ¿Qué te / os / les parecen + nombre plural? En tu / su opinión + ¿ _____ ? ¿Cree(s) que...?	Creo que... / A mí me parece que... En mi opinión... / Para mí... Creo que sí / no. No estoy seguro/a. No tengo ni idea. No sé qué decirte/le.

B **Te toca.**
   En parejas, preguntad y expresad la opinión sobre:

- Un trabajo de muchas horas con un gran salario o un trabajo de menos horas con un salario menor.

- Internet, el mejor invento de finales del siglo xx.

- Vivir en un pueblo cerca de una gran ciudad.

- Es más fácil ser uno mismo en las comunicaciones virtuales.

- La ciudad ideal del siglo xxi.

- Los libros digitales harán desaparecer los libros de papel.

- Por culpa de los sms la gente no sabrá escribir correctamente en su propio idioma.

4 Escucha. 🎧 ¹⁸

De viaje por Europa.

1 Antes de escuchar.

  a En pequeños grupos, imaginad tres rutas para visitar diferentes países de Europa.

  b Escribid un listado de palabras y expresiones que pueden salir en esta audición según su título.

2 Ahora, escucha y toma nota de lo siguiente.

  a ¿Cuántas personas intervienen en la conversación?

  b ¿Qué relación hay entre ellas?

  c ¿Cuántas rutas aparecen?

3 Vuelve a escuchar y contesta a estas preguntas.

  a ¿Qué ruta incluye Bélgica?

  b ¿Por qué una de las chicas no quiere hacer la ruta n.º 1?

  c ¿Qué ciudades incluye la ruta n.º 3?

  d ¿Es cierto que van a viajar del 1 al 15 de julio?

  e ¿Qué va a hacer uno de los chicos el próximo semestre en Ámsterdam?

4 Después de escuchar.

  a Comprobad vuestras hipótesis iniciales.

  b Hablad de las ciudades mencionadas. ¿Las conocéis? ¿Qué os parecen?

  c ¿Conocéis las becas Erasmus? Si no es así, buscad información en: *http://www.viajoven.com/educacion/Erasmus/principal.asp* o en: *http://www.mailxmail.com/curso/excelencia/becas/capitulo4.htm*

5 **Lee.**

A **Mi perra Clea.**

<u>Anteayer perdí a mi PERRA «CLEA» POR LA PLAYA DE «El Palo»</u>

Fecha: 20 de mayo
Raza: Dálmata
Zona: España, Málaga (El Palo)
Contacto: Gabriel
Detalles: Tiene un ojo más claro que el otro

DE RAZA DÁLMATA, PESA ALREDEDOR DE 25 KILOS,
SE LLAMA CLEA, TOMA MEDICACIÓN. ES MUY IMPORTANTE
PARA MÍ. POR FAVOR, SI ALGUIEN LA HA VISTO O PUEDE DAR
INFORMACIÓN, PUEDE LLAMARME A LOS NÚMEROS
DE TELÉFONO: 676708755 / 952 001 002 O PUEDE PONERSE
EN CONTACTO POR CORREO ELECTRÓNICO: *gabriela@hotmail.com*

SE OFRECE RECOMPENSA.
Contactar con Gabriel.

Contesta las preguntas:

a ¿Qué le pasa a Clea?
b ¿Cuántas maneras de ponerse en contacto
   con Gabriel aparecen en el anuncio?
c ¿Dará dinero Gabriel si alguien le devuelve a Clea?

B **Ayer fui al súper.**

Contesta las preguntas:

a ¿Compró todo Seiji?
b ¿Cuánto dinero de más le dio Agnes?
c ¿Dónde está el dinero?

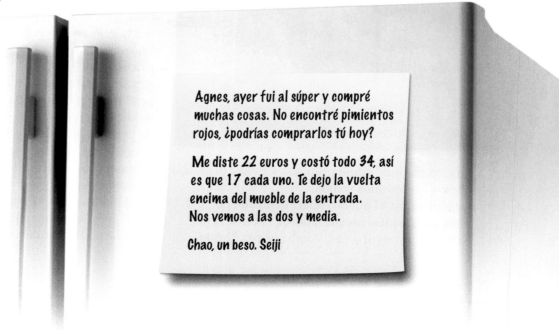

Agnes, ayer fui al súper y compré
muchas cosas. No encontré pimientos
rojos, ¿podrías comprarlos tú hoy?

Me diste 22 euros y costó todo 34, así
es que 17 cada uno. Te dejo la vuelta
encima del mueble de la entrada.
Nos vemos a las dos y media.

Chao, un beso. Seiji

C Usted no puede saber eso.

1 Antes de leer.

a Imagina a partir del título de qué puede tratar la lectura.

b ¿Qué relación crees que puede tener el anuncio con el tema de la lectura?

c ¿Por qué puede atraernos una casa?

d Comprueba que conoces estas palabras: *pasillo*; *curva*; *mirador* y *envoltorio*.

2 Después de leer.

a Señala las diferencias entre las hipótesis iniciales y la lectura del texto.

b Elabora un breve resumen con las ideas centrales del texto.

c ¿Has tenido alguna vez una sensación de *déjà vu*? ¿Quieres contárselo a la clase?

d En parejas, imaginad otro final para esta historia.

Usted no puede saber eso.

La casa era muy grande, antigua y estaba decorada al estilo de los años veinte.

Cuando entré, el dueño estaba hablando por teléfono. Me puse nerviosa porque nunca antes había estado en una casa como aquella. Desde que la vi, cuando paseaba por la parte vieja de la ciudad, me atrajo. En aquel momento me decidí y me dije: «Quiero comprar esa casa». Es verdad, quería comprarla porque me parecía que ya había vivido en ella antes. Tenía una sensación de *déjà vu*; aunque soy una persona más bien escéptica, no podía evitar sentir algo como «aquí he estado antes». El dueño colgó el teléfono y hablamos de las condiciones de la compra. Me explicó que esa casa había sido de su abuelo antes de ser suya.

El señor Hermida empezó a recordar detalles y anécdotas. Me habló de un pasillo que tenía dos curvas. Sonrió al decirme que la gente contaba que al pasar una de ellas aparecía un fantasma. También me habló del mirador desde donde su abuela vigilaba los juegos de sus nietos en el parque de enfrente. Me explicó que en ese mirador ella se sentía una reina. Yo estaba encantada de escucharle. Sus recuerdos lo llevaron a un dormitorio. Yo, sin saber por qué, seguí con la descripción, incluso hablé de las lámparas que había sobre las mesitas de noche y de su color.

El señor Hermida me miró muy sorprendido: «¡Imposible! ¡Usted no puede saber eso! Esas lámparas todavía están dentro de su paquete, igual que cuando llegaron de Austria y nadie las ha visto nunca».

Subimos al dormitorio; el señor Hermida rompió el envoltorio de una de las lámparas y, efectivamente, la pantalla era de color morado.

Aquella casa sigue cerrada, yo no he podido comprarla y hasta ahora parece que nadie lo ha hecho, ni yo he podido explicar lo que pasó aquel día.

6 **Escribe.**

A Imagina.

Era una mañana fría de diciembre. Juan iba por la calle sin fijarse en nada ni en nadie. Estaba preocupado. Hacía algunos días que había ido a comer con Elisa, su novia, a un restaurante pequeño y acogedor; lo pasaron estupendamente. Después fueron al apartamento de ella, que era fotógrafa profesional, para ver sus últimas fotos.
Decidieron ir al cine, a la sesión de las 19:00. A la salida, Juan acompañó a Elisa a su casa. Él se marchó a la suya porque, al día siguiente, tenía que ir más temprano a la oficina.

Aquel día Juan esperó a su novia, como siempre, en el Café Central. La llamó por teléfono, pero no contestó. Se dirigió a su casa, llamó al timbre, pero nadie abrió. Como tenía una llave, entró en el apartamento. Todo estaba en perfecto orden, no faltaba nada. Volvió a su casa muy preocupado. Al día siguiente, como no conseguía encontrarla, fue a la policía a denunciar su desaparición. Hoy se ha levantado. Hace una mañana fría. Va preocupado al trabajo y se pregunta ¿qué le ha ocurrido a Elisa?

Termina esta historia usando tu imaginación. Puedes elegir un final cómico, trágico, surrealista, etc.

B Lee este anuncio.

Familia numerosa de fantasmas busca casa grande o castillo en buenas condiciones. No somos ruidosos; no arrastramos cadenas y tampoco asustamos por las noches.

Ahora, escribe con tu compañero/a un anuncio curioso, divertido, gracioso o insólito del estilo de este. Usad vuestra imaginación. ¡Suerte!

Repaso

1 Interactúa.

En parejas. Primero uno/a de vosotros/as lee las preguntas y el otro o la otra las contesta. Después cambiáis: quien ha preguntado contesta, y quien ha contestado pregunta.

1. ¿Qué opinas de la moda?
_____

2. ¿Qué porcentaje de tu dinero de un mes gastas en ropa, zapatos y complementos?
_____
_____

3. ¿Compras en tiendas grandes, grandes almacenes o en tiendas pequeñas?
_____

4. ¿Qué tipo de ropa y calzado no llevarías nunca y por qué?
_____
_____

1. ¿Puedes contar brevemente una anécdota?
_____
_____

2. ¿Cuáles son los cuentos más populares de tu país?
_____
_____

3. ¿De niño o de niña te leían cuentos? ¿Quién te los leía? ¿Dónde y cuándo? ¿Lees ahora cuentos o relatos para adultos?
_____
_____
_____
_____

2 Habla.

Habla sobre uno de estos tres temas propuestos:

- El último regalo que hiciste o que recibiste.
- El último evento al que asististe.
- Cuenta un chiste o algo divertido / peculiar / peligroso que te ocurrió en...

Recuerda que tienes unos minutos para prepararlo, que puedes escribir una serie de palabras para no perderte y recuerda, también, todo lo que has aprendido sobre la narración en estas unidades.

3 Escucha y contesta.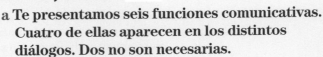

a Te presentamos seis funciones comunicativas. Cuatro de ellas aparecen en los distintos diálogos. Dos no son necesarias.

> Proponer planes • Pedir favores • Expresar opinión
> Preguntar a alguien si sabe algo
> Pedir permiso • Preguntar por alguien

a ¿Qué función comunicativa aparece en el primer diálogo?
_____

b ¿Qué función comunicativa aparece en el segundo diálogo?
_____

c ¿Qué función comunicativa aparece en el tercer diálogo?
_____

d ¿Qué función comunicativa aparece en el cuarto diálogo?
_____

b **Escucha y di si son verdaderos o falsos los enunciados.**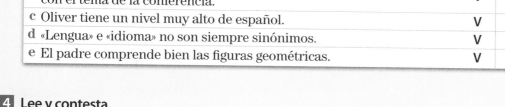

a La conferencia fue muy, muy aburrida.		V	F
b La pregunta que hizo una persona no estaba relacionada con el tema de la conferencia.		V	F
c Oliver tiene un nivel muy alto de español.		V	F
d «Lengua» e «idioma» no son siempre sinónimos.		V	F
e El padre comprende bien las figuras geométricas.		V	F

4 **Lee y contesta.**
Cartas y mensajes.

a **Carta.**

> Estimada señora Alcaldesa:
>
> Me pongo en contacto con usted en nombre de la Asociación de vecinos de la Parte Vieja para decirle que el nuevo reloj que han puesto en el exterior del Ayuntamiento suena con demasiada frecuencia.
> Escuchar el sonido cada quince minutos resulta insoportable.
> Todos los vecinos creemos que debería tocar a las horas en punto, desde las ocho de la mañana hasta las diez de la noche.
> También la opinión generalizada es que el volumen es demasiado elevado.
>
> ¿Podría, señora Alcaldesa, hacer caso a nuestra petición? No sabe cuánto se lo agradeceríamos.
>
> Miren Apaletegui Unceta,
> Presidenta de la Asociación de vecinos de la Parte Vieja y 28 726 firmas más.

b **Mensaje.**

> Querido sobrino Pedro:
> Te mando este correo para contarte que hemos encontrado un papel escrito por tu abuelo donde repartía sus objetos personales entre sus ocho nietos.
> A ti te de deja su reloj de cuco, el que compró cuando fue a Alemania con la abuela para celebrar el 25 aniversario de su boda.
> Funciona bien, pero se atrasa un poquito. Si quieres, lo llevo al relojero antes de mandártelo.
>
> Bueno, ya me dirás qué hago, cómo te lo mando, etc.
>
> Recibe un fuerte abrazo de tu tío,
> José Ignacio

Y ahora contesta.

a ¿Qué problema tienen los vecinos de la Parte Vieja de la ciudad?

b ¿Cuántas veces suena el reloj en una hora?

c ¿Cuántas personas opinan lo mismo que Miren Apaletegui?

Y ahora, señala verdadero o falso.

a Pedro es nieto de un hombre que ha muerto.	V	F
b El abuelo ha escrito esto en el testamento.	V	F
c El reloj de cuco lo compraron los abuelos cuando se casaron.	V	F
d José Ignacio propone arreglar él mismo el reloj.	V	F

5 Lee.

Lee esta serie de anécdotas.

1

Un chico se está examinando del carné de conducir en Valencia.

Examinador: Joven, tome dirección Barcelona.

Alumno joven: ¿Podemos parar un momento?

Examinador, con tono preocupado: ¿Qué le ocurre?

Alumno joven: Quiero llamar a mi madre por teléfono para decirle que no llegaré a comer.

Examinador riendo: No se preocupe, joven, que no vamos a ir tan lejos.

2

Cuentan que una vez un periodista preguntó a Einstein: «¿Puede explicarme la relatividad?». A lo que Einstein respondió: «¿Puede explicarme cómo se fríe un huevo?». El periodista lo miró extrañado y le contestó: «Pues sí, sí que puedo...», y Einstein dijo: «Bueno, pues hágalo, pero imagine que yo no sé lo que es un huevo, ni una sartén, ni el aceite, ni el fuego».

4

El 25 de febrero del año 1500 se estaba celebrando una recepción en el palacio en la ciudad de Gante (Bélgica). La reina Juana de Castilla, conocida por «Juana la Loca», se sintió mal y se fue al cuarto de baño. Allí dio a luz rápidamente y sin ninguna ayuda. Así es como nació el futuro emperador de España, Carlos I.

3

Martina quería aprender español. Compró un billete de tren en la estación de Madrid. Como no sabía nada de español, señaló un tren y preguntó a varias personas: ¿Valladolid? Le contestaron que sí y se subió. Buscó en el mapa el nombre de los pueblos por los que pasaba y se dio cuenta de que iba en dirección contraria. El tren que había señalado no iba a Valladolid, venía de allí.

Y ahora, señala verdadero o falso.

a	El joven pensó que el examinador le había dicho que tenía que ir conduciendo hasta Barcelona.	V	F
b	El periodista no podría comprender la relatividad explicada por Einstein.	V	F
c	Martina miró en el mapa y vio que iba en la dirección correcta.	V	F
d	Juana de Castilla era belga.	V	F
e	El Emperador nació rodeado de médicos y cuidados.	V	F

6 Escribe.

Con el modelo del Pretexto de la Unidad 4, las dos anécdotas de Escucha y las cuatro anécdotas anteriores, escribe dos más.

Después de corregirlas, escribidlas en hojas de colores y colocadlas por las paredes de la clase.

7 **Marca la respuesta correcta.**

1 ● Esta mañana _____ un accidente.
  ▼ ¿Dónde _____?
  a. hemos visto / ha sido   **b.** veíamos / era

2 Ayer, cuando _____ a casa, nos _____ a Luisa
  y a Álvaro paseando al perro.
  a. volvimos / encontrábamos
  b. volvíamos / encontramos

3 ● ¿Por qué no vamos a tomar la última copa?
  ▼ Chico, son las 5 de la madrugada, es muy tarde.
    Ayer a las 5 de la madrugada Juan _____ tomar la
    última copa y yo le contesté que _____ demasiado
    tarde.
  a. quiso / fue   **b.** quería / era

4 Anteayer _____ una reunión muy importante para
  organizar los grupos de trabajo.
  a. habían   **b.** hubo

5 ● ¡Qué camisa tan bonita llevas! ¿Es de _____?
  ▼ Sí, me la _____ mi suegra de la India.
  a. seda / trajo   **b.** algodón / trayó

6 ● ¿Te gustan _____?
  ▼ Sí, mucho, pero nunca me haría uno, porque son
    para toda la vida.
  a. los pendientes   **b.** los tatuajes

7 ● Mi madre, de joven, llevaba zapatos _____.
  ▼ La mía también. _____ las modas van y vuelven.
  a. de tacón / Qué   **b.** de plataforma / Es que

8 ● ¿Conoces el cuento de *Los tres cerditos*?
  ▼ Sí.
  ● ¿Te acuerdas de la frase que _____ el lobo?
  ▼ _____. «Soplaré, soplaré y tu casita tiraré.»
  a. decía / ¡Claro!   **b.** dijo / ¿A que sí?

9 Esta chaqueta es muy incómoda de abrochar porque
  tiene muchos _____.
  a. bolsillos   **b.** botones

10 ● Ayer, cuando _____ a casa, el cartero _____ no
   había venido.
   ▼ Es que cada día _____ más tarde.
   a. llegamos / aún / viene
   b. venimos / todavía / venía

11 ● Esta mañana no _____ a trabajar _____ no me
   sentía bien, _____ fiebre, _____ todo el cuerpo.
   ▼ ¿Y ahora cómo estás?
   a. fui / pero / había / dolía
   b. he ido / porque / tenía / me dolía

12 ● ¿Has estudiado ya este tema?
   ▼ No, todavía no _____ he estudiado, pero
     voy a _____ este fin de semana.
   a. lo / hacerlo   **b.** la / estudiarla

13 ● ¿Creéis que debería prohibirse el tráfico de los
   coches del centro de la ciudad?
   ▼ _____.
   ■ Yo creo que sí porque contaminan mucho.
   a. Tengo una opinión   **b.** No sé qué decirte

14 ● ¿Vas a contarle el chiste a Laura?
   ▼ Sí, _____ contaré, seguro que se ríe mucho.
   a. se lo   **b.** lo se

15 ● Todavía no me _____ el premio que _____
   el sábado pasado en el campeonato de ajedrez.
   ▼ ¿No? Pues ahora mismo te lo enseño.
   a. enseñaste / ganaste   **b.** has enseñado / ganaste

16 ● Patricia, por favor, ¿me prestas tus pendientes largos
   para esta noche?
   ▼ ¡Vaya! No puedo _____ porque voy a _____.
     Lo siento, de verdad.
   a. prestártelos / ponérmelos
   b. prestárloste / llevárselos

17 ● Mañana estrenan una obra de teatro estupenda.
   ▼ Sí, me lo han dicho. _____ con mis amigos para ir
     a verla.
   a. He decidido   **b.** He quedado

18 ● ¿_____ que nos van a subir el sueldo?
   ▼ Sí, _____ hablar de eso, pero no lo creo.
   a. Escuchaste / escuchaba
   b. Has oído / he oído

19 ● ¿Te _____ que la directora se marcha?
   ▼ No tenía ni idea.
   a. has enterado de   **b.** conocías la noticia

20 Esta mañana _____ al parque porque _____ una
   exposición de flores cortadas y _____ muchas y a muy
   buen precio.
   a. iba / hay / he buscado   **b.** he ido / había / he comprado

21 Completa el texto con las letras que faltan:
   A__er fuimos a la pla__a. Ha__ía poca __ente porque no
   ha__ía sol. __e__amos la comida, pero no pudimos comer
   a__í porque empezó a __o__er.

22 «Salir de marcha» significa:
   a. Salir por las noches a divertirse.
   b. Costumbre de comprar las bebidas y los vasos en una
     tienda o supermercado y consumirlos en la calle.

23 El reloj _____ o clepsidra indicaba la hora durante la
   noche al vaciarse el líquido que contenía.
   a. de agua   **b.** de arena

24 Los trabalenguas pertenecen a la literatura _____.
   Son parte del folclore de los pueblos, por esa razón
   _____ encontrar distintas versiones de los mismos.
   Son _____ de palabras con sonidos difíciles de
   pronunciar juntos.
   a. escrita / puede / caminos   **b.** oral / es posible / juegos

5

Los espectáculos

Al terminar esta unidad serás capaz de...

• Opinar sobre los espectáculos.

• Usar el presente de subjuntivo para:

    - Expresar preferencias y sentimientos.
    - Expresar peticiones, órdenes y recomendaciones o consejos.

• Invitar a alguien a algo usando nuevos recursos.

• Atenuar y justificar el rechazo.

• Aceptar con reservas.

• Acentuar correctamente.

• Leer un poema.

1. Pretexto

1 **Relaciona las imágenes con las oraciones. Escucha y comprueba.** 🔊 21

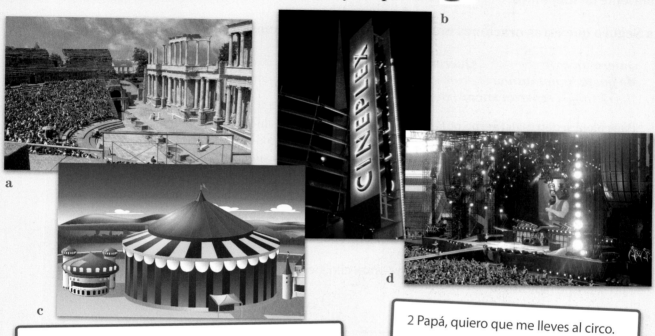

a

b

c

d

1 No soporto que la gente coma palomitas en el cine.

2 Papá, quiero que me lleves al circo.

3 ¡Espero que te diviertas en el concierto!

4 Les aconsejo que vayan al teatro al aire libre.

2 **Lee y contesta.**

a ¿Qué espectáculos te gustan más y por qué?
b ¿A cuál sueles ir más?
c ¿Comes palomitas y bebes refrescos cuando estás viendo una película en el cine?
d ¿Viajas hasta muy lejos para ver a tu cantante o a tu grupo favorito?

3 **Y ahora reflexiona.**

a ¿Qué forma verbal nueva aparece en estas oraciones?
b ¿A qué tiempo verbal se parece?
c Vuelve a leer las oraciones. Fíjate en lo que expresan y completa este cuadro:

FÍJATE

Con el verbo *querer* podemos expresar deseos o influencia.

Una persona expresa SENTIMIENTOS hacia otras.	Una persona expresa DESEOS hacia otras.	Una persona trata de INFLUIR en otras.

2. Contenidos gramaticales

1 Presente de subjuntivo.

a Seguro que estas oraciones no te causan ningún problema:

> *Quiero un café* con leche. *Queremos hacer* un viaje a Bolivia.
> *Me gusta la montaña* en primavera. *Nos encanta hacer* montañismo.
> Mis alumnos *esperan sacar* buenas notas.
>
> Pues bien, si detrás del verbo ponemos *que*, tendremos que usar otro verbo conjugado.
> Este *que* es necesario porque tenemos dos oraciones con sujetos diferentes.
> Ahora tienes que saber que el segundo verbo va en subjuntivo, algo nuevo que vamos a
> empezar a estudiar en esta unidad.
>
> *Quiero un café con leche* → **Quiero (yo) que <u>vengas</u> (tú)** conmigo al teatro.

b La conjugación.

Vamos a estudiar el presente de subjuntivo. Para ello, tienes que recordar
el presente de indicativo.

1 Completa las personas que faltan.

Verbos regulares en -ar	Verbos regulares en -er	Verbos regulares en -ir
habl-	com-**o**	viv-
habl-	com-	viv-**es**
habl-**a**	com-**e**	viv-
habl-	com-**emos**	viv-
habl-**áis**	com-	viv-**ís**
habl-**an**	com-**en**	viv-

✔ **El presente de subjuntivo tiene una vocal característica para todas las**
personas. Los verbos en *-er* y en *-ir* tienen las mismas terminaciones.

Verbos regulares en -ar	Verbos regulares en -er	Verbos regulares en -ir
vocal característica: *e*	vocal característica: *a*	vocal característica: *a*

2 Completa la conjugación del presente de subjuntivo.

habl-	com-**a**	viv-**a**
habl-	com-	viv-
habl-	com-**a**	viv-
habl-	com-**amos**	viv-
habl-	com-	viv-
habl-	com-	viv-**an**

3 Hay dos personas gramaticales iguales en presente de subjuntivo. ¿Cuáles son?

✔ **Para formar el presente de subjuntivo de los verbos irregulares tienes que tener en cuenta la primera persona del singular (yo) del presente de indicativo.**

Funcionan igual: hacer, oír, poner, salir, traer, venir...

Presente de indicativo	Presente de subjuntivo	
Yo **teng-o**	Yo	teng-**a**
Tú tienes	Tú	teng-**as**
	Él/Ella/Usted	teng-**a**
	Nosotros	teng-**amos**
	Vosotros	teng-**áis**
	Ellos/Ellas/Ustedes	teng-**an**

4 Ahora, conjuga tú estos verbos.

Hacer: _____ _____

Oír: _____ _____

Poner: _____ _____

Salir: _____ _____

Traer: _____ _____

Venir: _____ _____

✔ **Verbos que cambian E > IE. Terminan en -*ar*: *cerrar* o en -*er*: *entender*.**
(Los que terminan en -*ir* los verás en la Unidad 6.)

5 Conjúgalos en subjuntivo.

cierr-**e** _____ _____   cerr-**emos** _____ _____

entiend-**a** _____ _____   entend-**amos** _____ _____

> **Otros verbos en -*ar*:** *comenzar, despertar(se), empezar, pensar, sentar(se)...*
> **Otros verbos en -*er*:** *encender, perder, querer...*

✔ **Verbos que cambian O > UE. Terminan en -*ar*: *contar* o en -*er*: *poder*.**

6 Conjúgalos en subjuntivo.

cuent-**e** _____ _____   cont-**emos** _____ _____

pued-**a** _____ _____   pod-**amos** _____ _____

ATENCIÓN

Las personas NOSOTROS y VOSOTROS son regulares.

> **Otros verbos en -*ar*:** *encontrar, probar, recordar, soñar, volar...*
> **Otros verbos en -*er*:** *doler, mover(se), oler, volver...*

7 Dos casos especiales. Completa la conjugación.

IR:	vay-**a**	vay-	vay-**a**	vay-	vay-**áis**	vay-
SER:	se-	se-**as**	se-	se-**amos**	se-	se-**an**

c Usamos el subjuntivo.

✔ **Detrás de los** *verbos de influencia*. **Estos verbos expresan la influencia de un sujeto sobre otro. Tienen este significado:** *aconsejar, dejar, desear, ordenar, pedir, permitir, querer, recomendar, sugerir...*

Con el mismo sujeto Verbo de influencia + infinitivo	**Con distinto sujeto** Verbo de influencia + *que* + subjuntivo
● *¿Quieres (tú) venir (tú) al concierto con nosotros?* ▼ *¡Me encantaría!*	● *¿Quieres (tú) que compremos nosotros las entradas?* ▼ *¡Estupendo!*

✔ **Detrás de los** *verbos que expresan sentimiento*. **El subjuntivo aparece cuando el sentimiento sale hacia otra(s) persona(s).**

Son verbos de este grupo: *alegrarse de, apetecer, encantar, gustar, importar, molestar, odiar, preferir, sentir, no soportar, sorprender...*

ATENCIÓN

Los verbos subrayados se utilizan en **tercera persona del singular y del plural** y se construyen como *gustar*.

Cuando el sentimiento no sale hacia otra(s) persona(s) Verbo de sentimiento + infinitivo	**Cuando el sentimiento sale hacia otra(s) persona(s)** Verbo de sentimiento + *que* + subjuntivo
● *¿Por qué no vamos a la bolera?* ▼ *A mí* **no me gusta jugar** *a los bolos. Prefiero (yo) ir (yo) a bailar.*	● *¿Estás enfadado con Jaime?* ▼ *Sí. Es que* **no me gusta que me hable** *(él) así delante de la gente.*

2 La acentuación.

a Reglas generales.

Llevan tilde (´) o acento ortográfico:

1 Las palabras **agudas** (acentuadas en la última sílaba) que acaban en *vocal, -n y -s: sofá, jamón, compás.*

2 Las palabras **graves** o **llanas** (acentuadas en la penúltima sílaba) que no acaban en *vocal, -n o -s: Pérez, césped, inútil, árbol.*

3 Todas las palabras **esdrújulas** (acentuadas en la antepenúltima sílaba): *léxico, político, quirófano, sábana.*

4 Todas las palabras **sobreesdrújulas** (acentuadas en la sílaba anterior a la antepenúltima): *arréglasela, comunícaselo.*

b Acentuación especial:

1 Cuando el acento recae en una sílaba con **diptongo**, y según las reglas anteriores, la tilde debe ir sobre la A (*andáis*), la E (*coméis*), la O (*adiós*). Cuando el diptongo lo forman la I y la U, se acentúa la que aparece en la última posición (*construí*, *veintiún*). Lo mismo ocurre cuando el acento recae en una sílaba con **triptongo**: *averiguáis*.

2 Cuando una palabra simple pasa a formar parte de una compuesta en primer lugar, pierde el acento ortográfico: *baloncesto, decimonono, decimoséptimo*.

3 Cuando el compuesto está formado por dos o más palabras que no llevan tilde, esta se coloca si el compuesto resulta **esdrújulo** o **sobreesdrújulo**: *diciéndole, búscala*.

4 Los **monosílabos** (palabras que solo tienen una sílaba) no llevan tilde, salvo cuando existen dos con la misma forma, pero con distinta función gramatical: *tu/tú*.

5 Los relativos *que, cual, quien*, y los adverbios *cuando, cuan, cuanto, como* y *donde*, llevan tilde en las oraciones interrogativas y exclamativas: *¿Cómo lo has hecho?, ¡Cuánto lo quiere!*

6 Los demostrativos *este, ese* y *aquel*, con sus femeninos y plurales se escriben sin tilde según las reglas de acentuación. Solo se pondrá la tilde en el pronombre cuando existe riesgo de ambigüedad.

7 La partícula *aún* lleva tilde cuando puede sustituirse por *todavía*.

8 El adverbio *solo* únicamente se escribirá con tilde para evitar la confusión.

9 Los adverbios en *–mente* mantienen la tilde, si les corresponde, en el primer elemento: *lícitamente, dócilmente*.

10 Las mayúsculas deben ir acentuadas de acuerdo con las reglas generales: *África*.

3. Practicamos los contenidos gramaticales

1 Conjuga los verbos que te damos a continuación en presente de indicativo y en presente de subjuntivo.

	Oler		Pensar		Probar		Divertirse		Hacer	
	P. indic.	P. subj.	P. indic.	P. subj.	P. indic.	P. subj.	P. indic.	P. subj.	P. indic.	P. subj.
Yo	*huelo*	*huela*								
Tú										
Él / Ella										
Usted										
Nosotros/as	*olemos*									
Vosotros/as		*oláis*								
Ellos / Ellas										
Ustedes										

2 Completa el siguiente texto con la forma correcta del presente de subjuntivo.

Me gusta el cine, pero no soporto que la gente (1) (hacer) *haga* ruido. Me encanta que las butacas (2) (ser) _____ cómodas y que (3) (haber) _____ espacio entre una fila y otra. Pero odio que la gente (4) (hablar) _____ continuamente y (5) (comentar) _____ la película todo el tiempo. Y me molesta que (6) (reírse) _____ por cosas que en realidad no tienen gracia. Por eso, ya no voy al cine. Ahora prefiero ir al teatro. No me importa que (7) (ser) _____ más caro, siempre me sorprende que los actores (8) (poder) _____ hacer dos funciones seguidas. Les recomiendo que (9) (ir, ustedes) _____ a verlos. Y, de todos los espectáculos, mi preferido es el circo, aunque me da miedo a veces que los trapecistas (10) (poder) _____ caerse. Lo que no entiendo es cómo permiten que (11) (actuar) _____ niños o que (12) (maltratar, ellos) _____ animales. De todos modos, ha sido, es y será El gran espéctaculo del mundo.

3 **Completa los diálogos. Usa el presente de subjuntivo con los verbos estudiados y el indicativo en los demás casos.**

1 ● ¿Por qué no te cortas el pelo?

 ▼ Porque a mi novia **le gusta** más que lo (llevar, yo) *lleve* largo.

2 ● Creo que hoy no (ir, yo) _____ a poder ir a clase.

 ▼ **¿Quieres** que (llamar, yo) _____ para decir que no (ir, tú) _____?

 ● Pues sí. Y diles que, si mañana no me (encontrar, yo) _____ mejor, (llamar, yo) _____ al médico.

3 ● **Sentimos** mucho que no (aceptar, usted) _____ nuestra oferta para seguir trabajando con nosotros.

 ▼ Y yo **les agradezco** mucho que se (interesar, ustedes) _____ por mí, pero prefiero irme a vivir fuera de la ciudad y trabajar por mi cuenta*.

** **TRABAJAR POR MI CUENTA**: sin jefes, ser autónomo.*

4 ● Mira, antes de tomar una decisión te **pido** que me (escuchar, tú) _____ un momento.

 ▼ Es que no **quiero** escucharte. Sé que no me (ir, tú) _____ a convencer.

 ● Que no. Solo **quiero** que (pensar, tú) _____ dos veces lo que vas a hacer.

5 ● Mira cómo está el apartamento. Voy a hablar seriamente con ellos.

 ▼ No, **deja** que (hablar) _____ yo.

6 ● ¿Por qué **te sorprende** que (vivir, yo) _____ sola?

 ▼ Chica, porque yo no **soporto** la soledad. Me encanta tener gente cerca.

 ● Pues te **recomiendo** que lo (probar tú) _____ alguna vez.

7 ● Me parece que (ser, nosotros) _____ los primeros.

 ▼ Bueno, no importa. **Prefiero** que (llegar, nosotros) _____ pronto a que nos (esperar, ellos) _____.

4 **Reacciona ante las siguientes situaciones.**

1 **Has ido a un concierto de rock al aire libre.**

 a No me gusta que _____

 b Me molesta mucho que _____

 c No me importa que _____

 d Me encanta que _____

2 **Has ido a un circo con niños pequeños y había animales.**

 a A mí me encanta que _____

 b Quiero que me _____

 c Prefiero que _____

 d A los niños les molesta que _____

3 **Has ido al teatro y había muy poca gente.**

 a Me alegro de que _____

 b No soporto que _____

 c Recomiendo a todo el mundo que _____

 d Me da pena que _____

5 **a** Fíjate en las fotografías y en los animales. ¿Los reconoces? Presta atención porque aparecen en el texto.
Anota el significado de estas expresiones:

1 *Sin tapujos* = claramente
2 *A corazón abierto* = con sinceridad

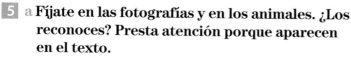

b Y ahora escucha y acentúa el siguiente texto. 🔊 22

Me gustaria ser

Una tarde, hace muchisimo tiempo, Dios convoco una reunion.
Estaba invitado un ejemplar de cada especie
Una vez reunidos y despues de escuchar muchas quejas,
Dios solto una sencilla pregunta, «¿entonces que te gustaria ser?».
A lo que cada uno respondio sin tapujos y a corazon abierto:
La jirafa dijo que le gustaria ser un oso panda.
El elefante pidio ser mosquito.
El aguila, serpiente.
La liebre quiso ser tortuga y la tortuga golondrina.
El leon rogo ser gato.
El caballo, orquidea.
Y la ballena solicito permiso para ser zorzal...
Le llego el turno al hombre, quien, casualmente, venia de recorrer el camino de la verdad.
El hizo una pausa y exclamo:
Señor, yo quisiera ser... feliz.

(De Vivi García, en *Las tres preguntas de la vida,* de Jorge Bucay)

6 Concurso. Aquí tienes 25 palabras para que les pongas las tildes si son necesarias. 🔊 23
Gana quien tenga más palabras correctas. Luego escucha y comprueba.

1 calle	6 Garcia Marquez	11 correis	16 tienda	21 perro
2 Juan	7 bien	12 mecanico	17 alli	22 guantes
3 corazon	8 Gonzalez	13 redaccion	18 justicia	23 ultimo
4 platano	9 portatil	14 solicitud	19 daselo	24 historico
5 futbol	10 reloj	15 lapiz	20 vacaciones	25 aqui

4. Contenidos léxicos

1 Vamos a ver cuántas palabras conoces relacionadas con los espectáculos.
Sigue completando el mapa.

2 ¿Cuántas de estas palabras han salido? ¿Las conoces todas?
Si no, busca en el diccionario...

> entrada • taquilla • escenario (2)
> versión original • cartelera • pantalla • versión subtitulada
> butaca • trapecistas • cola

5. Practicamos los contenidos léxicos

1 Completa este ejercicio, usando el vocabulario anterior.

1 Desde que han reformado el teatro Avenida las _____ son mucho más cómodas.

2 Pregunta en la _____ si el cine está lleno.

3 Tengo dos _____ para el concierto de Nena Daconte, ¿te apuntas?*

4 ¿Tienes el periódico de hoy? Déjamelo, quiero ver la _____. Me apetece ir al teatro.

5 Aunque el vídeo es muy cómodo, no puedes comparar la televisión con la gran _____ de un cine.

6 Cuando voy al circo me da miedo que los _____ se caigan. A veces, me tapo los ojos.

7 Cuando voy a los conciertos, no paro de bailar. Sobre todo si el cantante hace lo mismo subido en el _____.

8 Vamos a sacar las entradas con tiempo, porque este fin de semana es el último del Circo del Sol y creo que hay una _____ tremenda para conseguir un buen sitio.

9 En los multicines hay una sala donde solo ponen películas en _____, la mayoría de las películas son en _____ o en español.

10 Me encantan esos teatros en los que los palcos están casi dentro del _____.

*¿*TE APUNTAS?*: ¿vienes con nosotros?*
Si quieres saber quién es Nena Daconte, entra en: http://www.nenadaconte.com/

6. *De todo un poco*

1 Interactúa.

A **En grupos. Mirad atentamente este fotograma de la película *Pájaros de papel* y contestad a estas preguntas.**

a Describid lo que veis.
b Imaginad en qué época pasa la acción, quiénes son, adónde van, qué relación existe entre ellos.
c ¿Por qué pensáis que levantan los sombreros?
d El niño tiene la cara pintada, ¿por qué?

Si quereis saber más de esta película:

http://pajarosdepapel.com

B **Di qué piensas de estas afirmaciones. A continuación compara tus respuestas con las de tu compañero/a. Después, haced una puesta en común y debatid sobre los puntos en los que no estéis de acuerdo.**

	TÚ	TU COMPAÑERO/A
a Es mejor alquilar un DVD que ir al cine.		
b Las obras de teatro suelen ser aburridas.		
c Es mejor bajarse de internet la música que ir a un concierto.		
d Los payasos suelen ser tristes.		
e La ópera es cosa de personas mayores.		
f Las butacas del circo son muy incómodas.		
g Los minicines no tienen calidad de sonido.		
h El teatro es demasiado caro.		
i En los espectáculos en directo te pierdes muchas cosas. Mejor verlos por la tele.		
j En los circos se maltrata a los animales.		

C **Aquí tienes un cuadro con tus preferencias. Responde a las preguntas y, después, busca en la clase al compañero/a que más coincide con tus gustos.**

	Película favorita	Personaje de circo favorito	Cantante o grupo preferido	Tipo de obras de teatro que más te gustan	Personaje de ficción favorito
Tú					
Compañero/a					
Compañero/a					
Compañero/a					

2 **Habla.**

Cuenta a tus compañeros/as cómo fue el último concierto al que asististe. No olvides incluir:

- Cuánto te costó la entrada.
- Quién o quiénes actuaban.
- Si fuiste solo/a o con amigos.
- Cuánta gente había.
- A qué hora acabó.

3 **Escucha, lee e interactúa.**

A Te invito a cenar.

1 Antes de escuchar.

a ¿Qué te sugiere el título?

b ¿Sabrías decir lo mismo de otra manera?

2 Escucha. 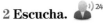 24

a En estos diálogos se hacen invitaciones. Apunta los recursos que se usan para hacerlas.

b Vuelve a escuchar y anota cuántas invitaciones se aceptan y cuántas se rechazan.

c ¿Puedes decir qué relación hay entre las personas de cada diálogo?

RECURSOS			
Invitar	**Aceptar**		**Rechazar**
¿Quieres...? ¿Te apetece...? Te invito a... ¡Vamos a...! ¿Por qué no...?	Sin reservas.	Con reservas.	Muchas gracias, pero no puedo. No puedo y lo siento de verdad. Imposible, es que... Otro día, es que... Ahora no, gracias.
	Pues sí. Estupendo / perfecto / fenomenal. Buena idea. Con mucho gusto.	Bueno, si insistes... La verdad, preferiría... No me apetece mucho, pero...	

FÍJATE

Cuando rechazamos una invitación, solemos dar una explicación que introducimos con *es que*.

B Te toca.

- Propón una excursión a la clase para el fin de semana.

- Un compañero te ha invitado a cenar. No te apetece. Díselo de la manera más elegante.

- Ponen una obra de teatro muy divertida. Invita al compañero/a de la clase que mejor te cae.

4 Escucha. 🎧 25

«Teatralia», más teatro que nunca.

1 Antes de escuchar.
a En pequeños grupos, imaginad tres tipos de
   espectáculos que pueden aparecer en la audición.
b ¿De qué tipo de teatro creéis que se va a hablar?

2 Ahora, escucha y toma nota de lo siguiente.
a ¿En cuántos escenarios se celebra «Teatralia»?
b ¿Cuántas funciones hay?
c ¿Cuántos grupos actúan?

3 Vuelve a escuchar y contesta a estas preguntas.
a ¿A qué tipo de público van dirigidos los espectáculos?
b ¿De qué lugares son los grupos que actúan?
c ¿Hay algún musical? ¿Cuál?

4 Después de escuchar.
a Comprobad vuestras hipótesis iniciales.
b ¿Existe en tu país este tipo de iniciativa?

5 Lee.

1 Antes de leer.
a ¿Qué opinas de los payasos en el circo?
b ¿Qué te sugiere el título de esta lectura?

2 Durante la lectura.
Subraya las ideas que te parecen más importantes
para comentarlas después.

3 Después de leer.
a ¿En qué ámbitos trabaja esta ONG?
b ¿De qué formas se puede colaborar con ellos?
c ¿Cuánto cuesta una expedición y en qué consiste?

4 Y si quieres.
a Haz un resumen con los datos más importantes.
b Busca información de otra ONG y preséntala en
   clase.
c Apunta en tu cuaderno las palabras que te han
   parecido útiles.

NINGÚN NIÑO SIN UNA SONRISA

PaYaSoS SiN fRoNTeRaS
Ayuda Humanitaria
desde las Artes

Payasos Sin Fronteras es una ONG de ámbito internacional y de carácter humanitario, con un doble objetivo.
Uno: mejorar la situación psicológica de las poblaciones
de campos de refugiados y zonas en conflicto, actuando
o realizando talleres socio-educativos. Dos: sensibilizar
a nuestra sociedad sobre la situación de las poblaciones
afectadas y promover actitudes solidarias.

PAYASOS SIN FRONTERAS

El hecho de reír es un lujo para los pueblos en conflicto,
donde los niños no han podido jugar. El hambre, las
enfermedades y la guerra han hecho desaparecer su
ilusión.
Con la risa como instrumento para aligerar la presión
psicológica, especialmente de los niños y niñas de
estas poblaciones, Payasos Sin Fronteras organiza
expediciones de artistas a los territorios afectados. Al
mismo tiempo, en los países donde está establecida,
organiza actos para promover las actitudes solidarias.
Una expedición de Payasos Sin Fronteras tiene un coste
medio de 6 000 euros. Con eso, entre 5 y 10 artistas pueden hacer reír a una media de 5 000 personas. Con
1 euro puedes hacer reír a un niño, a una niña.

¿CÓMO PUEDES COLABORAR?

Como miembro solidario: tu ayuda económica, que no tiene por qué ser muy grande, puede devolver la ilusión a muchos niños y adultos que viven situaciones de gran presión psicológica.

Como artista: si sois un grupo de artistas con un espectáculo con lenguaje internacional, podéis ser voluntarios para ir de expedición con nosotros.

Puedes ampliar información en: *www.clowns.org*. Fuente: *mujeractual.com*

6 Escribe.

A **La semana pasada fuiste al circo y el mago te sacó al escenario. Escribe en tu muro de Facebook, pero en español, lo que pasó, cómo te sentiste, si te gustó la experiencia.**

Al principio...
Cuando estaba en el escenario...
Al pensar que todo el mundo me miraba...
Pero al final...

B **En parejas. Os han encargado preparar una cartelera para la clase con los espectáculos que se pueden ver durante el fin de semana. Consultad periódicos o internet y elaborad una propuesta semejante a esta:**

El niño pez
Cine Cité Valencia Sala: 10
Película ganadora del Premio Especial del Jurado en Málaga. Lucía Puenzo habla del amor prohibido.
Pases: Vie 22: 12:00, 14:00, 16:00, 18:15, 20:30; Sáb 23: 12:00, 14:00, 16:00, 18:15, 20:30; Dom 24: 12:00, 14:00, 16:00, 18:15, 20:30; Lun 25: 12:00, 14:00, 16:00, 18:15, 20:30; Mar 26: 12:00, 14:00, 16:00, 18:15, 20:30; Mié 27: 12:00, 14:00, 16:00, 18:15, 20:30; Jue 28: 12:00, 14:00, 16:00, 18:15, 20:30.
guiadelocio.com

Liceo de Barcelona

BALLET DE ÁNGEL CORELLA

Danza

Fecha de estreno: 12/09/2009
Hasta el: 12/10/2009

Compañía: Ballet de Ángel Corella

Teatro: Auditorium
Venta anticipada: Servicaixa (*www.servicaixa.com*, 902 33 22 11, terminales La Caixa)

Darwin y el humor gráfico se dan cita en el Teatre del Mar, de Mallorca

Más de 200 humoristas gráficos de 44 países participan en la III Mostra d'Humor Gráfic dedicada al año de Darwin. La muestra está organizada por diferentes instituciones y se inaugura el 23 de abril.

Museo Nacional de Bogotá

Conciertos 2009
Museo Nacional

CONCIERTOS «LAS 4 M»
Miércoles Musical al Mediodía en el Museo

Todos los miércoles
Hora: 12:30 del día
Auditorio Teresa Cuervo Borda
ENTRADA LIBRE

CONCIERTOS MAYO 2009

Fecha Concierto

<u>Miércoles 6 de mayo</u>: ***Grupos de Cámara Javerianos.***
Obras de J. S. Bach, L. V. Beethoven, W. A. Mozart, F. Liszt.

<u>Miércoles 13 de mayo</u>: ***Concierto de guitarras y piano.***
Soren Andrade & Gian Paolo Marcenaro, dúo de guitarras
Juan Sebastian Ávila, piano (Escuela de Música Juan
N. Corpas). *Obras de F. Sor, D. Scarlatti, W. A. Mozart.*

<u>Miércoles 20 de mayo</u>: ***Recital de canto y piano.***
(Universidad Central) Camilo Colmenares, voz
Maestro Alejandro Roca, piano Maestra Sarah Cullins, profesora de canto. *Obras de J. Haydn, G. F. Haendel, W. A. Mozart, G. Rossini, F. P. Tosti.*

6

La diversidad es nuestra realidad

Al terminar esta unidad serás capaz de...

- Opinar y debatir sobre la emigración / la inmigración.

- Usar el presente de subjuntivo para:
  - atenuar las creencias.
  - emitir juicios de valor.

- Expresar certeza y seguridad usando nuevos recursos.

- Localizar en el tiempo y en el espacio ampliando las preposiciones.

- Dar o no dar la razón a alguien.

- Hablar de la cocina de diferentes países.

- Comprender y dar recetas.

- Exponer y argumentar las semejanzas y diferencias entre tu país y otros que conozcas.

1. Pretexto

 Alicia necesita que Mirta cuide a su padre.

Mirta necesita que Carmen recoja a su hijo en el colegio.

Amadou, el novio de Carmen, necesita trabajo.

Y, mira por dónde, Alicia necesita un cocinero.

Con la integración de los inmigrantes todos ganamos

Ganamos en crecimiento económico, en calidad de vida, en diversidad cultural.

Todos diferentes. Todos necesarios.

Es lógico que haya diversidad.

Inmigración y educación: aprendiendo a convivir

Pienso que todos debemos hacer un esfuerzo por la integración.

Es evidente que la sociedad española está cambiando.

Creo que las diferencias significan riqueza; no creo que sean un problema.

1 **Escucha, lee y contesta.** 26

En el primer documento:

a ¿Por qué crees que todas estas personas necesitan ayuda?

b Comenta la oración siguiente con tus compañeros/as: *Con la integración de los emigrantes todos ganamos.*

c ¿Para qué crees que se usa *mira por dónde*?:
   a Para decir que sí con mucha seguridad.
   b Para llamar la atención y enfatizar.

d ¿Qué te sugieren las dos últimas fotos y los textos que las acompañan?

2 **Y ahora, reflexiona.**

En el primer documento hay muchos verbos en presente de subjuntivo. ¿Recuerdas lo que estudiaste en la unidad anterior?

a ¿Qué tipo de verbo introduce las oraciones que has leído? ¿Es un verbo de sentimiento o de influencia?

b ¿En qué forma están los verbos que aparecen bajo la segunda y la quinta imagen? ¿Están en forma afirmativa, en interrogativa o en negativa?

c ¿Qué llevan detrás, indicativo o subjuntivo?

d ¿Podrías extraer una regla?

e ¿Qué aparece detrás de *Es* en la tercera y en la cuarta imagen? ¿Un sustantivo? ¿Un adjetivo? ¿Un adverbio? ¿Una preposición? El verbo que va detrás, ¿está en indicativo o en subjuntivo?

2. Contenidos gramaticales

1 El Presente de subjuntivo (continuación).

a **Formación del presente de subjuntivo de los verbos irregulares.**

Para formarlo, tienes que tener en cuenta la persona YO del presente
de indicativo porque la irregularidad se mantiene en todo
el presente de subjuntivo.

Verbos como CONOCER		Verbos como CONSTRUIR	
Presente de indicativo	**Presente de subjuntivo**	**Presente de indicativo**	**Presente de subjuntivo**
cono**zc**-o	cono**zc**-a	constru**y**-o	constru**y**-a
cono**c**-emos	cono**zc**-as	constr**u**-imos	constru**y**-as
	cono**zc**-a		constru**y**-a
	cono**zc**-amos		constru**y**-amos
	cono**zc**-áis		constru**y**-áis
	cono**zc**-an		constru**y**-an

Otros verbos que se conjugan igual: *conducir,
producir, reducir, traducir.*

Conjuga tú dos de estos verbos en presente
de indicativo y presente de subjuntivo.

Otros verbos que se conjugan igual: *contribuir,
destruir, disminuir, sustituir.*

Conjuga dos de estos verbos en presente
de indicativo, y en presente de subjuntivo.

Verbos como SENTIR		Verbos como REPETIR	
Presente de indicativo	**Presente de subjuntivo**	**Presente de indicativo**	**Presente de subjuntivo**
sient-o	sient-a	repit-o	repit-a
sent-imos	sient-as	repet-imos	repit-as
	sient-a		repit-a
	sint-**amos**		repit-amos
	sint-**áis**		repit-áis
	sient-an		repit-an

ATENCIÓN

Estos verbos cambian
E > I en las personas
nosotros y *vosotros.*

Otros verbos que se conjugan igual: *divertir(se),
convertir(se), preferir, sugerir.*

Conjuga tú dos de estos verbos en presente
de indicativo, y en presente de subjuntivo.

Otros verbos que se conjugan igual: *pedir, seguir,
conseguir, elegir, medir, servir, vestir(se), reír(se),
sonreír, freír.*

Conjuga dos de estos verbos en presente
de indicativo, y en presente de subjuntivo.

Casos especiales:

CABER	SABER
quep-**a**	sep-**a**
quep-**as**	sep-**as**
quep-**a**	sep-**a**
quep-**amos**	sep-**amos**
quep-**áis**	sep-**áis**
quep-**an**	sep-**an**

> Los verbos ***dar*** y ***estar***, que en presente de indicativo son irregulares, en presente de subjuntivo son regulares. (Doy → **Dé**), (Estoy → **Esté**).
>
> **Conjúgalos completos.**

b Aparición del indicativo y el subjuntivo.

✔ **Con verbos que expresan entendimiento, percepción y lengua (verbos «de la cabeza»):** *creer, pensar, parecer, oír, decir...*

Con indicativo	Con subjuntivo
En forma afirmativa e interrogativa.	**En forma negativa.**
*Marta **cree que** Alejandro no ganará el campeonato de ajedrez.* *¿**Has pensado que** faltan dos días para el cumpleaños de Elisa y todavía no le hemos comprado nada?* *¿**No te parece que** Julio está muy extraño últimamente?* *La directora **ha dicho que** mandará un informe sobre los nuevos contratos.*	*Marta **no cree que** pueda viajar a Barcelona este fin de semana.* ***No he oído que** Juan vaya a divorciarse.* *Yo **no he dicho que** Alfredo sea vago.*

✔ **Con construcciones de *ser* o *estar* con adjetivos o sustantivos.**

Con indicativo	Con subjuntivo

• *Es +* ***verdad, evidente, seguro*** *+ que*
    Es cierto *que el español es la segunda lengua de uso internacional.*
    *¿**Es verdad** que Antonio y Ana van a cerrar su empresa?*
    Otros: *obvio; cierto; indudable.*
    Es indudable *que el Sol sale por el Este y se pone por el Oeste.*
 • *Está +* ***claro, demostrado, comprobado, visto*** *+ que*
    Está demostrado *que la Tierra es casi redonda.*
    Está claro *que, con la integración, todos ganamos.*
	• *No es* ***verdad, evidente, cierto, seguro, obvio, indudable*** *+ que*
	    No es verdad *que Alberto tenga problemas con el jefe.*
	 • *No está* ***claro, comprobado, demostrado, visto*** *+ que*
	    No está demostrado *que haya vida inteligente en otros planetas.*
	 • *Es +* adjetivo/sustantivo que no significa ***verdad, evidente, seguro*** *+ que*
	    Es un problema *que no encuentre trabajo.*
	    Es bueno *que todos hagamos un esfuerzo por la integración.*

ATENCIÓN

Lógico, natural y normal + *que* se construyen con subjuntivo.
Es normal *que Angélica quiera volver a su país; lleva mucho tiempo sin ver a su familia.*

2 Preposiciones que indican tiempo.
Ya conoces muchas porque las has estudiado en *Nuevo Avance A1 y A2*.
Subraya todo lo que ya sabes.

• **A** + horas.
*Te espero **a** la una en la puerta de la oficina.*
Frases fijas: *al amanecer, al atardecer, al anochecer, al día siguiente, a la semana siguiente.*
*Mi suegra se levantaba siempre **al amanecer**.*
*Lo operaron de la vista y **al día siguiente** ya pudo volver a casa.*

Estamos a + fecha.
***Estamos a** 26 de junio.*

• **EN** + años, periodos, estaciones, temporadas.
***En** primavera se llenan los gimnasios.*
***Estamos en** + mes, estación, año, siglo.*

• **DESDE:** expresa el principio de un hecho de una acción.
    + **Día, mes, año.**
*No he visto a Juan **desde** el sábado pasado.*
    + **Fecha exacta.**
*Vivo aquí **desde** el 15 de septiembre de 1983.*
• **DESDE** + sustantivo (no temporal):
***Desde** la muerte de su marido está muy triste.*
        + **que** + **verbo:**
***Desde que** lo vio, supo que era el amor de su vida.*

Desde + artículo... **hasta** + artículo.
Se usan para expresar el principio y el fin.
*Trabajo **desde** las 9:00 **hasta** las 14:00.*
*Tengo clase **desde** el lunes **hasta** el viernes.*
El artículo aparece delante de las horas y de los días de la semana.

• **ENTRE:** se utiliza para expresar un momento no determinado entre dos límites.
*Te llamaré **entre** las 8:00 y las 10:00.* → en cualquier momento situado entre las 8:00 y las 10:00.

• **HASTA:** tiempo límite.
*No tendré su coche arreglado **hasta** el miércoles.*

• **POR:** expresa tiempo aproximado.
ATENCIÓN nunca se usa con las horas.
*Siempre nos visita **por** Navidad.*
Frases fijas: *por la mañana, por la tarde, por la noche.*

• **SOBRE:** sirve para expresar tiempo aproximado.
Significa lo mismo que *hacia*.
*Llegó **sobre** las 11:00.*

• **TRAS:** después de.
***Tras** mucho esfuerzo consiguió abrir la puerta.*

• **DE:** sirve para referirse a una etapa de la vida:
de niño, de adolescente, de joven, de mayor.
***De** adolescente discutía mucho con mis padres.*
Momentos del día: *de día, de noche, de madrugada.*
*El padre de Emi trabaja **de noche**.*

De ... a: se utilizan para expresar el principio y el fin.

• **HACIA:** expresa tiempo aproximado.
*Saldré de casa **hacia** las 21:00.*

• **PARA:** señala el límite antes del cual debe ocurrir algo.
*Estos deberes son **para** el lunes.*

Ni las horas ni los días de la semana llevan artículo.
*Trabaja **de** 9:00 a 14:00, **de** lunes a viernes.*

3. Practicamos los contenidos gramaticales

1 Completa los diálogos siguientes con el adjetivo o el sustantivo adecuado de forma que tengan sentido. Fíjate si el verbo está en indicativo o en subjuntivo y escribe al lado el infinitivo correspondiente.

> lógico • natural • posible • una pena • conveniente • problema
> cierto • evidente • verdad • demostrado • estupendo

1 ● Es _conveniente_ que pagues el alquiler pronto porque, si no lo haces, la dueña se pone nerviosa.
 ▼ Vale.
2 ● Como Ana trabaja tanto, es _____ que gane mucho dinero.
 ▼ Yo prefiero trabajar menos, pero tener más tiempo libre.
3 ● Está _____ que beber con medida alarga la vida.
 ▼ Sí, los médicos dicen que una copa de vino tinto al día, mejora la circulación sanguínea.
4 ● Es _____ que las corridas de toros desaparezcan algún día.
 ▼ Yo no lo creo, porque es una costumbre muy antigua que ha sobrevivido.
5 ● Es _____ que no podáis venir con nosotros a los sanfermines.
 ▼ A ver si el año que viene podemos ir los cuatro juntos.
6 ● Es _____ que las clases sean por la mañana temprano, así puedo trabajar por la tarde en el restaurante de los padres de mi novio.
7 ● Pues a mí no me gustaría trabajar con la familia de mi novio.
 ▼ ¿Es _____ que Juan y Marta se van a vivir a Costa Rica?
 ● Sí, eso he oído yo también.
8 ● Es _____ que Alonso está un poco extraño últimamente.
 ▼ Es _____ que no se encuentre muy bien, porque tiene muchos problemas.
9 ● Es un _____ que no encuentre trabajo porque, además, tiene cuatro hijos.
 ▼ A ver si por fin lo encuentra.
10 ● Es _____ que Luisa y Álvaro están enamorados.
 ▼ Sí, se les nota mucho.

2 Completa los diálogos con el verbo en indicativo o subjuntivo.

1 ▼ ¿Cuándo son los exámenes finales?
 ● Me parece que (ser) _son_ la última semana de junio.

2 ▼ Creo que va a llover mañana.
 ● Pues yo no creo que (llover) _____.

3 ▼ ¿Por qué no te gusta el campo?
 ● Yo no he dicho que no (gustar, a mí) _____.

4 ▼ ¿Qué ha dicho Esperanza?
 ● Esperanza ha dicho que te (llamar) _____ esta tarde.

5 ▼ ¿Crees que Yvonne podrá volver a Ecuador en junio?
 ● No, no creo que (poder, ella) _____ porque todavía no (ahorrar, ella) _____ suficiente dinero.

6 ▼ ¿Piensas que la integración es un asunto difícil y complicado?
 ● No, no pienso que la integración (ser) _____ un asunto tan complicado.

7 ▼ ¿Sabes qué ha dicho Antonio de las vacaciones?
 ● Sí, ha dicho que este año (quedarse, él) _____ en Málaga porque no tiene dinero para viajar.

3 **En parejas.**

Os presentamos una serie de situaciones.

Situación: Últimamente vuestro amigo Eduardo se comporta de una forma muy extraña.

Y ahora tenéis que añadir un comentario.

Comentario: *Sí, es verdad que Eduardo ha cambiado mucho.*

1 María y José Luis están siempre discutiendo.
   Está claro que (ellos) _____.

2 Isabel ha estudiado muchísimo para aprobar el examen del DELE.
   Sí, es evidente que (ella) _____.

3 Arturo se siente mal sin trabajo.
   Es natural que (él) _____.

4 Marcela y Julián viven como millonarios.
   Pues no es verdad que (ellos) _____.

5 Últimamente no haces nada de ejercicio.
   Ya lo sé, es necesario _____.

6 *(Por teléfono)* Son las 18:50, la conferencia empieza a las 19:00 y estoy a 5 kilómetros del lugar donde se celebra.
   Es imposible que (tú) _____.

7 Isabel y Andrés casi nunca me hablan ni me invitan.
   Es evidente que (tú) _____.

4 **Completa con las preposiciones que indican tiempo.**

1 *De* niño vivía con su tío, pero a los doce años se fue a vivir con sus padres.

2 Tengo clase _____ lunes _____ viernes, _____ las 9:00 _____ las 14:00.

3 La fiesta terminó _____ las 5:00 _____ la madrugada.

4 Me gusta ir al gimnasio _____ la tarde.

5 Los británicos comen muy poco _____ mediodía.

6 _____ que se casó, vive en Tijuana.

7 No puedo salir _____ las 20:00 porque tengo mucho trabajo.

8 Normalmente visito a mi abuela _____ verano.

9 Necesito los apuntes _____ mañana.

10 _____ las 16:00 y las 18:00 siempre salgo a pasear.

5 **a** **Un día normal de tu vida.**
   Escribe un texto usando todas las preposiciones de tiempo necesarias, después, léelo a tus compañeros/as.

   Puedes empezar así: *Me despierto **a** las 7:00, pero no me levanto **hasta** las 7:15.*

   b **Tú decides cuándo.**
   • En grupos de tres, elaborad una lista de actividades.
   • Sale un/a voluntario/a.
   • Una persona del grupo le propone una actividad y quien ha salido voluntario/a tiene que decir cuándo realiza esa actividad sin repetir preposición.

Ir a la opera → ***Por*** *la noche.*

Limpiar la casa → ***Entre*** *las 10:00 y las 12:00 de la mañana.*

4. Contenidos léxicos

1 La gastronomía forma parte de la cultura de un país. Ahora te vamos a hablar de la del nuestro.

a La cocina regional española:

- **Costa cantábrica.** Excelentes mariscos, pescados, carne de vacuno, quesos. Destaca el pulpo a la gallega.

- **Andalucía.** Destacan el gazpacho, el ajo blanco y el pescado frito.

- **La Rioja, Navarra y Aragón.** Excelentes verduras y cordero. Destacan los pimientos del piquillo, las truchas y el cordero asado.

- **La Meseta.** Tierra de asados y cocidos. Destacan: el cocido madrileño, el cordero y el cochinillo asado.

- **Cataluña.** Destaca un delicioso postre: la crema catalana.

- **Las islas Baleares.** Destaca un delicioso dulce: la ensaimada.

- **El Levante.** Destaca por sus arroces. La paella, el arroz negro, el arroz a banda.

- **Las islas Canarias.** Destacan las papas arrugadas y el mojo picón.

b Recipientes y utensilios de cocina.

1 olla a presión

2 cazuela

3 cazo

4 sartén

5 cacillo para servir sopa

6 fuente de horno

7 molde de bizcochos

8 escurridor

5. Practicamos los contenidos léxicos

1 **Contesta a estas preguntas.**

1 **¿Qué recipiente es necesario para preparar el cocido madrileño?**

  a una fuente de horno   **b** un molde   **c** una cazuela

2 **¿Cómo suele cocinarse el cordero?**

  a frito   **b** al horno   **c** cocido

3 **¿Dónde cocinarías el pescado frito?**

  a en una sartén   **b** en un escurridor   **c** en un cacillo

4 **¿Qué utensilio necesitas para cocinar la verdura en poco tiempo?**

  a el cazo   **b** la olla a presión   **c** la cazuela

5 **¿Dónde harías una ensaimada?**

  a en una cazuela   **b** en una fuente de horno   **c** en una sartén

2 Los inmigrantes traen a los países de acogida sus platos favoritos. Es fácil pasear por las ciudades españolas y encontrar una gran variedad gastronómica de diferentes lugares.

Vamos a hacer un concurso en parejas:
Si se pregunta por un plato típico de Marruecos, todo el mundo dirá: el cuscús.
¿De India? El pollo al curry, ¿verdad?
Pues ahora, te presentamos dos listas: una con los nombres de los países y otra con platos típicos. ¿Puedes poner un poco de orden? Si lo necesitas, busca información en internet, ahí seguro que encuentras las respuestas.

1 Ecuador	**a** el guacamole	
2 Colombia	**b** fideos	
3 Uruguay	**c** ajiaco	
4 Argentina	**d** borsch	
5 México	**e** el asado	
6 Brasil	**f** gulasz	
7 China	**g** fritada	
8 Polonia	**h** sarmale	
9 Rusia	**i** feijoada	
10 Rumanía	**j** el dulce de leche	

¡Suerte con el concurso!
Gana la pareja que conteste correctamente a más preguntas en menos tiempo.

6. De todo un poco

1 Interactúa.

A Imitad el primer texto del Pretexto y haced algo similar con:

- los compañeros/as y el/la profesor/a (la clase).
- los amigos/as.
- vuestra familia.
- los compañeros/as y jefes de vuestro trabajo.

B Prueba para los buenos observadores.

Tomad lápiz y papel y realizad esta actividad en parejas. Después de responder a todas las preguntas, comparad los resultados en la clase.

Has pasado bastante tiempo fuera, al volver a tu país, ¿qué te ha parecido diferente? ¿Sabrías decir por qué?

- la ciudad, el barrio, las calles
- el ruido / el silencio (coches, vecinos, niños, televisión...)
- lugares de diversión
- la gente en la calle / en lugares públicos
- tus amigos
- tu familia
- las aficiones y el tiempo libre
- el trabajo
- la comida
- las normas sociales
- la casa

¿Te traerías a tu tierra alguna de las costumbres del país donde has vivido? ¿Por qué?
¿Exportarías algo de tu país a otros países tras haber vivido en ellos? ¿Por qué?

2 Habla.

En los Contenidos léxicos de esta unidad has visto algunos de los platos más típicos de nuestra cocina.
Ahora, explica a tus compañeros/as cuáles son los platos más típicos de tu país y señala las regiones donde se comen principalmente.

Uno de los platos más típicos de Bélgica son los mejillones con patatas fritas...

3 Escucha, lee e interactúa. 27

A ¿Tienes razón?
1 Escucha sin leer y contesta.

a ¿Qué están haciendo las personas que hablan?
   a Expresar sentimientos.
   b Dar o no dar la razón a alguien.
   c Solicitar permiso.
b ¿De qué tema general hablan?

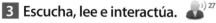

2 En parejas leed las preguntas. Procurad poner la entonación adecuada.

1 ● Hay muchos jubilados extranjeros que pasan muchos meses anualmente en la costa mediterránea española.
   ▼ Sí, así es.

2 ● No es cierto que con la integración de los inmigrantes todos ganemos.
   ▼ No tienes razón, eso no es así.

3 ● Creo que las diferencias significan riqueza.
   ▼ Sí, eso es cierto.

4 ● La inmigración produce inseguridad ciudadana y marginalidad.
   ▼ Eso es falso.

5 ● Muchos españoles emigraron a Hispanoamérica a finales del siglo XIX y a principios del XX.
   ▼ Eso es verdad.

6 ● Es lógico que en nuestra sociedad haya diversidad.
   ▼ Sí, claro que sí.

7 ● No creo que la integración traiga problemas.
   ▼ No, estás equivocado.

8 ● Todas las personas tienen derecho a salir de cualquier país y a elegir su residencia en el territorio de un estado.
   ▼ Desde luego.

RECURSOS

Decir a alguien que tiene razón	Decir a alguien que no tiene razón
Claro que sí.	(Eso) no es verdad.
Tienes razón.	No, estás equivocado.
Sí, es así.	No tienes razón.
(Eso) es cierto.	Eso no es así.
(Eso) es verdad.	(Eso) es falso.
Por supuesto.	(Eso) es mentira.
Desde luego.	(Eso) es absurdo.
¡Qué razón tienes!	Pues yo no me lo creo.

B Te toca.

1 Da o no la razón a tu compañero/a que dice estas cosas.

● Los científicos saben que hay vida inteligente en otros planetas.

● El hombre todavía no ha llegado a la Luna.

● Las mujeres españolas no cambian de apellidos cuando se casan.

● La piña es la más sana y rica de todas las frutas.

● No es lo mismo ser un viajero que un turista.

2 Ahora, expresad más opiniones y dad o no la razón.

C Debate sobre la inmigración.

**Dividid la clase en dos grupos. Uno de los grupos:
a favor de la inmigración, el otro ve muchos problemas.**

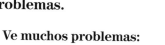

A favor de la inmigración:

- Enriquecen la cultura de los países de acogida.
- Ayudan con sus impuestos a mejorar la economía de los países de acogida.
- No se puede impedir que la gente busque mejores condiciones de vida.

Ve muchos problemas:

- Muchos emigrantes no se adaptan a la cultura del país.
- Los hospitales y colegios se han masificado.
- En algunos lugares viven emigrantes de una nacionalidad en el mismo barrio y solo se relacionan entre ellos...

**Cada grupo debe defender su postura y aportar argumentos.
Recordad todos los recursos que acabáis de aprender para dar
o no dar la razón a alguien.
Al final a ver si llegáis a un acuerdo. ¡Suerte!**

4 Escucha. 🔊 28

Declaraciones de dos inmigrantes.

Nuestra reportera de Onda Meridional ha entrevistado a dos personas
que llegaron hace ya algunos años a nuestro país. Escucha lo que cuentan.
Di si son verdaderas o falsas las siguientes oraciones:

		V	F
a	Farda es argelina.		
b	Farda estudia Bachillerato.		
c	A Farda no le importaba hablar incorrectamente el español al principio.		
d	Farda aprendía español solo en la clase.		
e	Ahora Farda ayuda a otros jóvenes que llegan al colegio.		
f	Farda habla de la ESO. Significa Enseñanza Secundaria Obligatoria.		
g	Boni es de un pueblo bastante grande que está muy cerca de la capital.		
h	Vino a estudiar a España con una beca.		
i	Cuando Boni llegó a Madrid había pocos africanos.		
j	Boni es un cuentacuentos.		
k	Desde el principio se sintió bien en España.		
l	Los españoles saben mucho de África.		

5 Lee.

1 Antes de leer.

a Comprueba que conoces estas palabras y expresiones,
si no, mira en el diccionario o pregunta a tu profesor/a.

- Hacer las Américas
- Los indianos
- Una casona
- Negocio a gran escala

b ¿Qué crees que vas a encontrar
en el texto?

La emigración española a Latinoamérica a finales del XIX y a principios del XX.

A lo largo del siglo XIX, en España se produjeron emigraciones económicas. Estas emigraciones siguieron hasta el siglo XX. Hasta 1860 se calcula que se embarcaron para Latinoamérica unos 200 000 españoles (fundamentalmente canarios, catalanes, gallegos, asturianos y cántabros).

Por razones laborales, esa emigración a América tuvo su momento de mayor importancia durante los primeros años del siglo XX. Más de un millón de personas se marcharon a 'hacer las Américas'. Estos emigrantes se quedaron a vivir principalmente en Cuba, Argentina, Venezuela, Uruguay y Brasil. Unos llegaron y consiguieron su sueño, otros llegaron, pero no lo consiguieron y los menos afortunados no llegaron. Se calcula que más de la mitad de los que salieron volvieron a España años más tarde.

A los que llegaron, consiguieron su sueño y volvieron ricos se los llamó «indianos».

Construyeron casas demasiado lujosas al volver a su pueblo, muchas veces en medio del campo, para demostrar su riqueza, pero, afortunadamente, también ayudaron con su dinero a construir carreteras y escuelas. La fundación Archivo de Indianos-Museo de la Emigración tiene su sede en una casa construida en 1906 en Colombres (Asturias) y es una buena muestra de la arquitectura de ese fenómeno.

La mandó construir uno de los indianos más famosos: Íñigo Noriega Laso que nació en Colombres, en 1853. A los catorce años emigró a América, concretamente a México, y allí abrió junto a su tío un comercio en Ciudad de México. A lo largo de su vida tuvo diversos negocios, al principio fueron tiendas, bares y pequeños comercios; después una fábrica de cigarrillos y un taller textil; al final compró diversas industrias agrícolas. Nunca llegó a vivir en esa casona asturiana, ya que murió en México en 1920.

Quienes nunca llegaron a América fueron los pasajeros del Valbanera, el barco que se hundió en aguas del Caribe una noche de septiembre de 1919.

El Valbanera.

Fundación Archivo de Indianos.
Museo de la Emigración.

Naufragio del Valbanera.

2 Después de leer.

a ¿Por qué emigraron a América muchos españoles a principios del siglo XX?
¿Puedes explicar ahora la expresión 'hacer las Américas'?

b ¿Dónde está La fundación Archivo de Indianos - Museo de la Emigración?
c ¿Quién fue Íñigo Noriega Laso?
d ¿Qué le ocurrió al vapor Valbanera?

3 ¿Coinciden tus hipótesis iniciales con lo que has leído?

Si quieres saber más sobre
esta emigración española entra en:
http://www.muslera.com/indianos/

Y si quieres saber más sobre
el naufragio del Valbanera entra en:
http://mgar.net/cuba/valbanera.htm

6 Escribe.

A El otro día hicisteis una comida internacional en clase.
Tú preparaste un plato que gustó mucho. Tus compañeros/as
te han pedido la receta. Escríbela y mándasela por correo electrónico.

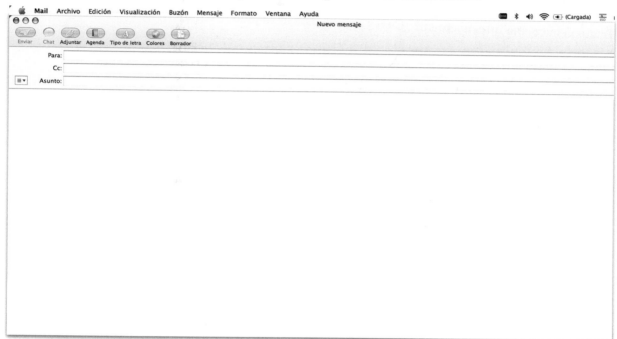

B Imagina por un momento que tienes que emigrar para buscarte la vida.
Escribe los pensamientos y sentimientos que tienes antes de abandonar tu país.

Repaso

1 Interactúa.

En parejas. Primero uno/a de vosotros/as lee las preguntas y el otro
o la otra las contesta. Después cambiáis: quien ha preguntado contesta y
quien ha contestado pregunta.

1. ¿Cuáles son tus alimentos favoritos?

2. ¿Y tu plato? ¿Sabes cómo se hace?

3. ¿Te gusta la cocina internacional? ¿Cuál y de qué país es tu plato extranjero favorito?

4. Cuando viajas a un país extranjero, ¿comes lo mismo que la gente de allí?

5. ¿Cocinas tú normalmente?

6. ¿Crees que tu dieta es saludable?

7. ¿Cuál es en tu opinión la comida más importante del día?

1. ¿Cuál es o cuáles son tus películas favoritas y por qué?

2. ¿Qué tipo de música oyes normalmente? Explícanos qué te aporta esa música.

3. ¿Cuáles son tus grupos o tus cantantes preferidos?

4. Cuando vas a hacer deporte, ¿llevas tu *iPod/iPhone*?

5. ¿Qué opinas del circo?

6. Yo prefiero los conciertos en lugares pequeños a los macroconciertos, ¿y tú? ¿Por qué?

7. En mi país la ópera no es un espectáculo para jóvenes. ¿Y en el tuyo? ¿Se podría hacer algo para interesar más a la gente en la ópera?

2 Habla.

Habla sobre uno de estos dos temas.

- **Una estancia en un país extranjero.**
  ¿Para qué fuiste a ese país? ¿Con quién fuiste? ¿Cuánto tiempo pasaste allí?
  ¿Te relacionaste con la gente del país? ¿Te resultó una experiencia importante?

- **Exposición / argumentación.**
  Defiende o rechaza esta afirmación dando razones para justificar tu postura: «Como en mi país, no se vive en ningún otro». ¿Cómo es su calidad de vida? ¿Y las relaciones humanas? ¿Y el clima?

Recuerda que tienes unos minutos para prepararlo, que puedes escribir una serie de palabras para no perderte y recuerda, también, todo lo que has aprendido en estas unidades sobre estos dos temas y la forma de exponerlos.

3 Escucha y contesta.

a Escucha la receta del dulce de leche y señala qué imágenes necesitas para su elaboración.

1

2

3

4

5

6

b Te presentamos seis diálogos con dos funciones comunicativas. Relaciona las funciones comunicativas de la lista con los diálogos. Hay dos funciones que se repiten.

Funciones	Diálogos
Posponer una cita.	Diálogo 1
Dar o no dar la razón a alguien.	Diálogo 2
Preguntar e informar sobre alguien.	Diálogo 3
Invitar a alguien.	Diálogo 4
	Diálogo 5
	Diálogo 6

4 Lee y contesta.
Anuncios y sinopsis.

a

BASADO EN EL BEST SELLER MUNDIAL DE SERGIO BAMBAREN

EL DELFÍN

LA HISTORIA DE UN SOÑADOR

sólo en cines
www.eldelfinlapelicula.com

Título: El Delfín
Género: Animación
País: Perú
Director: Eduardo Schuldt

La historia de un soñador nos muestra el mágico viaje de un joven delfín llamado Daniel, el cual abandona la seguridad de su manada y su isla y se aventura hacia lo desconocido en busca de un sueño: descubrir el verdadero propósito de su vida. El viaje no será fácil; habrá peligros y retos, amigos y enemigos, pero Daniel deberá confiar en la voz de su corazón para lograr su cometido. ¡Acompaña a Daniel Alejandro Delfín en esta espectacular y mágica aventura a través de las profundidades del océano!

Lee las afirmaciones y di si son verdaderas o falsas.

	V	F
a La película es de dibujos animados.	V	F
b El protagonista es un niño que se llama Daniel.	V	F
c La película trata de un viaje por el mar.	V	F
d Daniel viaja solo.	V	F
e La película cuenta muchas aventuras.	V	F

b

TÍTULO ORIGINAL:	Biutiful
AÑO:	2010
PAÍS:	México
DIRECTOR:	Alejandro González Iñárritu
GUIÓN:	Alejandro González Iñárritu, Armando Bo, Nicolás Giacobone (Historia: Alejandro González Iñárritu)
MÚSICA:	Gustavo Santaolalla

FOTOGRAFÍA: Rodrigo Prieto
REPARTO: Javier Bardem
PRODUCTORA: Coproducción México-España; Menageatroz / Mod Producciones

GÉNERO Y CRÍTICA: Drama / SINOPSIS: "Biutiful" retrata la historia de Uxbal y su lucha por recuperar el equilibrio emocional y espiritual tras un amor roto. Recoge asimismo cómo se ve obligado a luchar por salvaguardar a sus hijos y a hacer las paces con su propio pasado. (FILMAFFINITY)

Contesta a estas preguntas.

a ¿Que países intervienen en la película?
b ¿De qué género es la película?

c ¿Quién es el protagonista?
d ¿Cuándo se estrenó la película?
e ¿Se habla de amor en esta película? ¿Cómo lo sabes?

5 Lee.
Lee el siguiente *blog* sobre la actuación de Maná.

Inicio   Sobre el *blog*   Suscripción   Contacto   [   ] Buscar

TEMA

Concierto de Maná
conciertos.com

[Pon tu email aquí]

SIMPLEMENTE INCREÍBLE

Ventajas: todas las del mundo
Desventajas: ninguna

Llegamos bastante pronto al lugar donde iba a empezar, dos horas después, el concierto de Maná llamado «Tour Revolución de Amor». La lluvia nos preocupaba a todos y no sabíamos qué hacer: ver el concierto desde las gradas o mojarnos para ver a los músicos de cerca. Decidimos mojarnos y, tras una hora de espera y lluvia sobre nosotros, salió el grupo Maná al escenario.

Y con quince minutos de retraso y una gran impaciencia por parte de los presentes, muy mojados ya, empezaron a sonar los primeros acordes de «Ángel de amor» mientras los músicos saltaban al escenario.

Hay que destacar lo impresionantemente bien que suena la voz de Fher en directo.

La complicidad de Maná con el público fue total. Había 16 000 personas que cantaban y aplaudían sin parar.

En definitiva, que tras más de dos horas de concierto, los integrantes de Maná se despidieron y todos salimos de las Mestas con la impresión de haber visto un concierto espectacular.

(Richi de Concierto)

SOBRESALIENTE ACTUACIÓN

Ventajas: Maná en directo
Desventajas: entradas demasiado caras
Recomendable: sí

¡Cómo iba a faltar yo a un concierto de Maná!, ya llevo tres y no me canso. Pero este ha sido el mejor.

Estábamos sentados, cosa que yo creía que no me divertiría y, además, pensé que no podría bailar, pero no paré de saltar. El espectáculo era como otras veces, aunque con más pantallas desde donde se podían seguir los movimientos del grupo y una pantalla central con imágenes que representaban cada una de las canciones.

Luces apagadas, personas con unas linternas rojas en la mano, cantando todo el Sant Jordi. Tocaron muchas canciones clásicas que todo el mundo conocía.

El grupo en directo es un espectáculo. A mí no me sorprendió porque era mi tercera vez, pero es que hay que reconocerlo: son geniales. Y qué decir de Fher cantando, bailando y hablando directamente al público.

(Inma la fan)

Lee las dos opiniones y compara.

a Las personas que opinan se refieren al concierto de Maná, ¿cómo lo hacen?

b ¿Cómo hablan de la lluvia Richi e Inma?

c ¿Alguno de los dos habla de desventajas en el concierto?

d ¿Desde dónde ve cada uno la actuación?

e ¿Qué opinan Inma y Richi del cantante?

6 Escribe.

Escribe una sinopsis de tu película favorita. Te ofrecemos la de *El hijo de la novia* como modelo.

SINOPSIS

Rafael Belvedere (Ricardo Darín) no está contento con la vida que lleva. No puede conectarse con sus cosas, con su gente, nunca tiene tiempo. No tiene ideales, pasa muchísimas horas trabajando en el restaurante fundado por su padre (Héctor Alterio); se ha divorciado, no se ha tomado el tiempo suficiente para ver crecer a su hija Vicky (Gimena Nóbile), no tiene amigos y no quiere comprometerse excesivamente con su novia (Natalia Verbeke). Además, hace más de un año que no visita a su madre (Norma Aleandro) que padece Alzehimer y está internada en un geriátrico. Rafael sólo quiere que lo dejen en paz. Pero una serie de acontecimientos inesperados le obligarán a replantearse su situación. Y en el camino, le ofrecerá apoyo a su padre para cumplir el viejo sueño de su madre: casarse por la iglesia.

(Texto adaptado)

http://www.labutaca.net/films/5/elhijodelanovia.htm

---

7 **Marca la opción correcta.**

1 ● Si siempre hablas y nunca escuchas, nunca _____ nada.

▼ Perdona, pero no necesito tus consejos.

a. sepas   **b.** te enteras de

2 Hace _____ tiempo que _____ convocada esta _____.

a. muchisimo / esta / reunion

b. muchísimo / está / reunión

3 ● Elisa me ha pedido que _____ la habitación porque quiere saber si le cabe bien el sofá que ha visto.

▼ Deja que lo _____ yo, que a ti te duele la espalda.

a. medimos / hago   **b.** midamos / haga

4 ● Es _____ que esté molesto. Ha trabajado mucho y bien y el director no le ha dicho nada.

▼ Sí, es increíble cuánto y qué bien trabaja Mariana.

a. natural   **b.** evidente

5 ● Bueno, entonces ¿nos _____ mañana?

▼ Sí, estupendo. Me apetece mucho.

a. vemos   **b.** encontremos

6 ● Te llamo para pedirte _____ a mi casa esta noche.

▼ Lo siento mucho, pero esta noche no puedo.

a. de venir   **b.** que vengas

7 ● ¿Cómo se llama el lugar del teatro donde actúan los _____?

▼ Se llama _____.

a. personajes / escena   **b.** actores / escenario

8 ● ¿_____ dónde has venido?

▼ _____ la autovía, que es más rápido.

a. En / En   **b.** Por / Por

9 ● Vamos a cenar juntos para celebrar las buenas notas. ¿_____?

▼ Claro que sí.

a. Te apuntas   **b.** Te marchas

10 Cuando una persona responde 'desde luego' a lo que otra ha afirmado, _____.
   a. le da la razón
   b. le dice desde cuándo ocurre algo

11 No creo que _____ llegar a tiempo, tengo muchísimas cosas que hacer.
   a. pueda   **b.** puedo

12 ● Hasta el mes de julio hace bastante fresco _____ madrugada.
   ▼ A mí me parece que no, pero bueno…
   a. en   **b.** de

13 ● ¿Vienes conmigo a pasear por el bosque? En otoño está precioso.
   ▼ Bueno, _____, pero a mí el campo no me gusta mucho, soy más de ciudad.
   a. si te gusta…   **b.** si insistes…

14 ● ¿No crees que Eduardo _____ muy nervioso últimamente?
   ▼ Es que no le _____ bien las cosas.
   a. está / van   **b.** esté / vayan

15 ● Dile a Marta que, por favor, no me despierte _____ las once y media _____ la mañana, que voy a acostarme tarde.
   ▼ Vale, de acuerdo.
   a. hasta / de   **b.** a / por

16 ● Eso de decir siempre 'por favor' es una falta de naturalidad.
   ▼ No _____ usted, lo siento.
   a. estoy de acuerdo con
   b. soy de acuerdo para

17 ● ¿Has oído algo sobre la separación de Ana y Manolo?
   ▼ No, nadie me ha dicho que _____ a separarse.
   a. vayan   **b.** van

18 ● Es _____ que no _____ ir al colegio. A todos los niños les pasa al principio.
   ▼ Bueno, es posible que _____ razón, pero me da pena ver a Fernando tan triste.
   a. normal / quiera / tengas
   b. verdad / quiera / tienes

19 _____ es un postre argentino o uruguayo, no estoy segura.
   a. La ensaimada   **b.** El dulce de leche

20 ● En mi país las películas se ven en _____, pero con _____.
   ▼ Aquí no. Las películas siempre están dobladas.
   a. versión subtitulada / anuncios
   b. versión original / subtítulos

21 _____ por todas las _____ del barrio _____ maduros, pero no los _____. Los _____ para mi nieto.
   a. Busqué / fruterías / plátanos / encontré / quería
   b. Busque / fruterias / platános / encóntre / quería

22 ● ¿Por qué no nos preparas una _____ de tu país?
   ▼ Puedo intentarlo, pero necesito una _____ muy grande.
   a. sartén / receta   **b.** receta / sartén

23 ● ¿_____ que vayamos el próximo fin de semana a Barcelona?
   ▼ Muchísimas gracias, pero no puedo. _____ tengo que dar un curso.
   a. Te gusta / Por eso   **b.** Te apetece / Es que

24 ● Cuando estuve en México, descubrí _____. Me encantó.
   ▼ Yo lo comí por primera vez en casa de unos amigos mexicanos, pero en Madrid.
   a. el guacamole   **b.** la feijoada

Test de autoevaluación.

• ¿Qué he aprendido que no sabía?

• ¿Qué sabía, pero necesitaba repasar?

• ¿Qué necesito repasar más?

• ¿Qué me ha gustado más? ¿Por qué?

• ¿Qué me ha gustado menos? ¿Por qué?

Responde con sinceridad a estas preguntas:

▶Indica cuál crees que ha sido tu grado de participación a lo largo del curso para el que has usado este manual::

0 1 2 3 4 5 6 7 8 9 10

▶¿Cómo ha sido tu participación?
a Muy activa
b Activa
c Poco activa
d Pasiva
e Apenas he participado
f No he participado nada

▶¿Cómo podrías haber mejorado tu grado y tu forma de participación?

▶Señala cuál ha sido tu grado de interacción con los compañeros/as durante el desarrollo de las actividades:

0 1 2 3 4 5 6 7 8 9 10

▶¿Qué te ha resultado más difícil y qué más fácil de todo lo que hemos hecho en el libro?

▶¿Te ha gustado más trabajar individualmente o en grupo?

▶¿Qué cosas que ya conocías has repasado o vuelto a poner en práctica?

▶¿Qué contenidos crees que debes seguir estudiando?

_____

_____

_____

_____

_____

▶Señala si ha mejorado tu capacidad para expresarte:

Oralmente:	☐ **Mucho**	☐ **Un poco**	☐ **Nada**
Por escrito:	☐ **Mucho**	☐ **Un poco**	☐ **Nada**

▶Señala si ha mejorado tu capacidad para entender:

Textos orales:	☐ **Mucho**	☐ **Un poco**	☐ **Nada**
Textos escritos:	☐ **Mucho**	☐ **Un poco**	☐ **Nada**

A Contesta a estas preguntas usando el futuro o el condicional.

1 ¿Te gustaría tener un clon de ti mismo?
Me encantaría.

2 ¿Cuándo llamó Claudia?

3 ¿Cuándo volviste a casa?

4 ¿Qué han dicho en la tele del tiempo?

5 ¿De qué estarán hablando?

6 ¿Por qué está así Javier?

7 ¿Qué te contó Begoña?

8 ¿Por qué no fue al teatro José?

9 ¿Recuerdas quién nos contó que no habría clase el jueves?

10 ¿Por qué no les mandas un correo para explicarles la situación?

B Cambia las palabras en cursiva por un adverbio terminado en –*mente*.

1 Trabajas en *exceso*.　　　　　　　　　　　　　　　　*Excesivamente.*
2 Debes actuar *de una manera inteligente*.
3 Hay que tratar a la gente *con amabilidad*.
4 Ramón aprende idiomas *con facilidad*.
5 Vamos a tomarnos las cosas *con tranquilidad*.
6 *En verdad* el cine español está alcanzando un reconocimiento mundial.
7 Marga se comporta siempre *con mucha educación*.
8 ¿Por qué siempre hablas *con tanta rapidez*?
9 La ambulancia avanzaba *con lentitud*, aunque llevaba la sirena puesta.
10 *En los tiempos antiguos*, el cine era mudo.

C

1 Completa el texto con las palabras del recuadro.

> tan • ya que • para • en todo • condiciones • también
> cerca de • tierra • hacer • durante

Jardines en las azoteas de Ciudad de México

Jerónimo Reyes, un experto del Instituto de Biología de la Universidad Nacional Autónoma de México (UNAM), propuso (1) _____ jardines en las azoteas de los edificios de la capital mexicana, (2) _____ de este modo, la vegetación podría captar de la mejor forma el dióxido de carbono. Admitió que esta iniciativa verde no resulta (3) _____ sencilla: para desarrollarla, habría que calcular el peso que pueden soportar las superficies, impermeabilizar el área y mezclar la (4) _____ adecuada para el crecimiento natural de las plantas.

El biólogo dijo que su investigación (5) _____ se centra en las variedades de plantas capaces de adaptarse a (6) _____ extremas de sequía y que se mantienen verdes (7) _____ todo el año. En relación con ese aspecto, Reyes comentó que se conocen casi 1 400 tipos, de los cuales (8) _____ 400 están en México. De ellas, solo se han seleccionado diez (9) _____ su uso en las azoteas.

Si este proyecto tiene éxito pronto habrá ciudades más ecológicas (10) _____ el planeta.

2 Y ahora, contesta.

1 El conector *ya que* introduce la causa de la acción. En el texto pone:

«J. R. propuso instalar jardines en las azoteas ya que, de este modo, la vegetación podría captar de la mejor forma el dióxido de carbono.»

Ahora tú. Termina este enunciado.

Van a hacer más zonas verdes en la ciudad _____, de este modo,
_____.

2 «Para desarrollar esta iniciativa habría que calcular el peso que pueden soportar las superficies.»

Con esta oración de modelo, termina tú el siguiente enunciado.

Para mejorar la calidad de vida de las ciudades habría que _____
_____.

3 «Se conocen casi 1 400 tipos de plantas, de los que *cerca de* 400 están en México.»

¿Por cuántas de estas opciones puedes cambiar *cerca de*? Subráyalas.

a unos	**c** sobre	**e** por	**g** aproximadamente
b para	**d** alrededor de	**f** casi	**h** entre

A **Aquí tienes una serie de hechos de los primeros años del siglo XX. Para enterarte bien, transforma los infinitivos.**

1 Al principio del siglo XX, el vapor, la luz eléctrica y el aumento del transporte de masas (marcar) *marcaron* los avances técnicos.

2 Los hermanos Wright (realizar) _____ el primer vuelo dirigido con motor en el estado de Carolina del Norte el 17 de diciembre de 1903.

3 María Moliner, la autora del *Diccionario de uso*, (empezar) _____ a escribirlo con 50 años. (Tardar, ella) _____ 17 años en terminar los dos volúmenes.

4 En los años veinte, Venezuela (cambiar) _____ el café por el petróleo, como base de su economía.

5 Y para terminar, otra noticia sobre el cine: Hollywood (inventar) _____ sus famosos «Óscar» en mayo de 1929.

B **En parejas, unid las dos columnas para obtener la información que os damos. Primero, transformad el infinitivo.**

1 Ayer (coger, yo) _____ mi maletín

2 Anoche unos amigos y yo (salir) _____ a cenar

3 Hasta ahora no (ver) *he visto*

4 ¿(Comer, ustedes) _____ alguna vez cebiche?

5 La primera película sonora (ser) _____ *El cantor de jazz*

6 Me (decir) _____ Juan que hoy no hay clase

a y todos los papeles (caerse) _____ al suelo.

b a los alumnos que me (pedir) *pidieron* una cita la semana pasada.

c Yo, sí. Lo (comer) _____ hace unos años, cuando (estar) _____ en Perú de vacaciones.

d Es verdad. La (cambiar) _____ al jueves.

e y lo (pasar) _____ estupendamente.

f Se (estrenar) _____ en Nueva York el 23 de octubre de 1927.

C

1 Completa el texto con las palabras del recuadro.

> premios • la seguridad • al máximo • incluso • sus puertas
> países • alrededor de • la energía • la posibilidad • considerada

Más de 30 inventos españoles para la salud y el medio ambiente en Ginebra

Noticias EFE

El Salón Internacional de Inventos de Ginebra, uno de los más prestigiosos del mundo, ha abierto hoy (1) _____ con una treintena de proyectos españoles que buscan mejorar la salud y (2) _____ de las personas y la eficacia energética.

Una de las aportaciones españolas a la feria de Ginebra, (3) _____ la más importante del mundo en este ámbito, es un revolucionario sistema para captar (4) _____ solar cuya particularidad es que sigue la trayectoria del Sol con el fin de aprovechar (5) _____ esa potente fuente natural de calor.

Entre la representación española también hay interesantes propuestas para el ocio, como un novedoso tablero de ajedrez y de damas con varios módulos que ofrece (6) _____ de jugar con un número ilimitado de personas e (7) _____ jugar en equipo.

En total, hay más de mil inventos de más de setecientos exhibidores procedentes de cuarenta y dos (8) _____.

El próximo 22 de abril, último día, un jurado internacional, constituido por (9) _____ ochenta especialistas de todo el mundo, dará cuarenta y cinco (10) _____ especiales a los mejores inventos de esa edición.

(Texto adaptado)

2 Y ahora, contesta.

1 En el texto pone:
«Es un revolucionario sistema para captar la energía solar *cuya* particularidad es que sigue la trayectoria del Sol.»

Elige la opción cuyo significado coincida con el del texto.

a «Es un revolucionario sistema para captar la energía solar *con una* particularidad es que sigue la trayectoria del Sol.»

b «Es un revolucionario sistema para captar la energía solar *que tiene una* particularidad y es que sigue la trayectoria del Sol.»

2 En el texto pone:
«Sigue la trayectoria del Sol *con el fin de* aprovechar al máximo esa potente fuente natural de calor.»

¿Por qué preposición se puede sustituir *con el fin de*?

a por   b sobre   c para

3 En el texto pone:
«Entre la representación española también hay interesantes propuestas para *el ocio*.»

¿Qué es el ocio? ¿Cómo lo definirías? ¿Podrías explicarnos qué haces en tus ratos de ocio?

A

1 Completa con un pronombre de CD o de CI.

1 ● ¿Quién puede decirme algo sobre Marcia?
▼ Profe, yo no *la* conozco.
■ Yo, sí, pero hace mucho tiempo que no
_____ veo.
2 ● Voy a comprar esta camiseta para Fernando.
▼ ¿Sí? Pero si a Fernando no _____ gusta el color negro.
● ¿Ah, no? Yo pensaba que _____ encantaba.
3 ● No encuentro los recibos de los taxis que tomé en Brasil.
▼ ¿No _____ habrás puesto con el pasaporte?
● ¡Ah, claro! Seguro que _____ metí ahí.
4 ● ¿_____ has dicho a tus alumnos cuándo tienen que presentar el último trabajo?
▼ Sí, se _____ dije la semana pasada, pero se _____ recordaré.
5 ● Mira, lléva _____ a tu novio este CD. Seguro que _____ encanta.
▼ Buena idea. Se ve que _____ conoces muy bien. La música étnica _____ entusiasma.

2 Y ahora, vamos a usar los dos pronombres juntos.

1 ● Creo que en la reunión hablé de la situación con claridad, pero no sé si me entendieron.
▼ Entonces, vuelve a explicár*sela*. También puedes mandar _____ _____ por escrito bien desarrollada.
2 ● ¿Ya te ha devuelto Jorge el libro que le prestaste?
▼ No, todavía no _____ _____ ha devuelto. Y eso que _____ _____ he pedido un montón de veces.
3 ● Mira, Héctor está jugando con unas tijeras.
▼ ¡Pero bueno! ¿Estáis locos? ¿Quién _____ _____ ha dado?
4 ● Anda, cuéntame de qué hablasteis Clara y tú el otro día.
▼ _____ _____ contaré el sábado durante la comida. Así, por teléfono, no me parece bien.
5 ● ¡Vaya moto, tío! Es una pasada*.
▼ ¿A que sí? _____ _____ regalaron mis padres al terminar la carrera.

Para aclarar las cosas.
* ***ES UNA PASADA:*** *Expresión coloquial, propia del lenguaje de los jóvenes para decir que algo les gusta.*

B Completa usando el presente, el pretérito perfecto o el pretérito indefinido. Si hay más de una posibilidad, justifica tu elección.

1 ● ¿Quién (decir) *dijo*: «(Llegar, yo) _____, (ver) _____ y (vencer) _____»?
▼ Creo que (ser) _____ Julio César.
2 ● Julio Verne (anunciar) _____ los viajes a la Luna y nadie le (creer) _____.
▼ Pero él (seguir) _____ con sus ideas y (escribir) _____ libros fantásticos.
3 ● ¿Por qué no (ir) _____ tus amigos al concierto?
▼ Porque (preferir, ellos) _____ quedarse en casa y descansar.
4 ● ¿(Hacer, tú) _____ *windsurfing* alguna vez?
▼ No, yo nunca, ¿y tú?
● Yo lo (hacer) _____ el verano pasado, en Tarifa.
5 ● Todavía no (entender, yo) _____ lo que le (pasar) _____ a Jorge el otro día.
▼ ¿(Hacer, él) _____ algo raro?
● Pues sí; tú (saber) _____ que a Jorge le (encantar) _____ desayunar en casa y nunca (salir, él) _____ sin un buen desayuno. Pues el otro día (levantarse) _____, (ducharse) _____, (vestirse) _____ y (irse) _____. ¡Y no (tomar) _____ ni un café!

C

1 Completa los espacios con las palabras del recuadro.

> contrataron • tardará • de aquí a • se trasladó • funciona
> la torre • la reparación • valor • todavía • estaban

A recuperar el tiempo perdido

Por: Deiby Yanes.

El reloj fabricado por los árabes hace más de 700 años.

Las campanadas del histórico reloj de la catedral de Comayagua no se oyen en la antigua capital de Honduras.

Esa pieza de gran (1) _____ histórico se paró en el tiempo y no (2) _____ desde septiembre del año 2006.

Ahora las autoridades del Instituto Hondureño de Antropología e Historia y el Comité Cultural de Comayagua trabajan en (3) _____ del reloj de la catedral.

En Honduras no encontraron ninguna persona capacitada para recuperar esa pieza, por eso (4) _____ al guatemalteco, Antonio Zerón.

El reloj no está en la torre desde el mes de mayo. Se están restaurando algunas piezas que por el mal funcionamiento (5) _____ estropeadas.

A pesar de que hace ya más de dos meses que empezaron a restaurarlo, (6) _____ no se tiene una fecha exacta para el final del trabajo. Se cree que el proyecto (7) _____ un mes más.

Historia

Según la Historia, el 8 de diciembre de 1586 se colocó el reloj en (8) _____ de la catedral de Comayagua, que entonces era la iglesia La Merced. Posteriormente (9) _____ a la nueva catedral, aproximadamente en 1715. También se afirma que fue un regalo del rey Felipe II y que el reloj lo fabricaron los árabes en Sevilla en 1374 y que, incluso, estuvo en el palacio de La Alhambra en Granada. De allí viajó a La Habana, luego lo llevaron a Trujillo y (10) _____ Comayagua.

Se dice que es el tercer reloj más antiguo de toda la Europa cristiana y el más viejo en dar la hora en América.

(Texto adaptado)

2 Y ahora, contesta.

1 Subraya en el texto las expresiones que indican tiempo y di si marcan el principio de la acción o la cantidad total de tiempo.

Por ejemplo: desde septiembre del año 2006, marca el principio de la acción.

2 En el texto pone:
«Según la Historia (...)»
¿Qué significa *según*?

a Sobre   c De acuerdo con

b Por   d Alrededor de

3 Vuelve a leer el texto. ¿Cuál es el tiempo de pasado que más se repite? Explica por qué crees que el texto está escrito en ese tiempo del pasado.

A Haz la pregunta.

1 ● ¿Por qué _____ a la exposición?

▼ Porque ya la había visto.

2 ● Ayer _____ y no _____ al teléfono.
¿No lo _____?

▼ Sí, pero estaba en la ducha.

3 ● ¿Por qué _____ Pedro y tú?

▼ Porque el otro día me llamó idiota delante de mi jefe.

4 ● ¿_____ siempre en un pueblo pequeño?

▼ No, antes vivía en una ciudad más grande.

5 ● ¿Con qué persona _____ más cuando eras niño?

▼ Con mi abuela, porque mis padres _____.

6 ● ¿Qué _____ nuestra fábrica?

▼ Me ha sorprendido mucho porque nunca antes había visto una igual.

7 ● ¿Cómo es que* _____ a la reunión de antiguos alumnos?

▼ Es que me puse enfermo por la mañana y por eso no pude ir.

8 ● ¿_____ mi mensaje a Carmen?

▼ No, no pude dárselo porque ayer no vino a la oficina.

Para aclarar las cosas.
¿CÓMO ES QUE...?: Sirve para preguntar mostrando sorpresa.

B Pon los infinitivos en el tiempo pasado correcto.

Hace muchos años mis padres me (1) (llevar) *llevaron* de viaje a visitar a unos tíos míos muy mayores que yo no (2) (conocer) _____. (3) (Vivir, ellos) _____ en un pueblo diminuto de los Picos de Europa. Al llegar allí, (4) (quedarse, yo) _____ sorprendida por la belleza de aquella zona. (5) (Encantar, a mí) _____ el paisaje, su casa... en fin, todo.

Mis tíos (6) (levantarse) _____ tempranísimo: (7) (lavarse) _____ (8) (desayunar) _____ y (9) (empezar) _____ a chincharse*. (10) (Ser) _____ uña y carne, pero como todos los matrimonios viejos, (11) (llevarse) _____ como el perro y el gato.

A mí me (12) (caer) _____ mejor mi tío que mi tía porque él me (13) (gastar) _____ muchas bromas y yo (14) (reírme) _____ continuamente.

Mi tía (15) (ser) _____ la mejor cocinera que jamás (16) (conocer, yo) _____. (17) (Hacer, ella) _____ unas galletas de nata maravillosas que nosotros nos (18) (comer) _____ en un minuto. ¡(19) (Estar) _____ tan ricas...! Y es que mi madre me contó que mi tía de joven (20) (trabajar, ella) _____ en la mejor pastelería de Santander.

Hasta que cumplió 65 años, mi tío (21) (ser) _____ médico de ese pueblo y de cuatro o cinco más. (22) (Tener, él) _____ que ir al trabajo a caballo porque todavía no (23) (existir) _____ los 'todo terreno'. Si le (24) (avisar, ellos) _____ para un parto en el pueblo vecino, (25) (ir, él) _____ siempre andando o a caballo. Todo el mundo lo (26) (conocer) _____ en aquella comarca y todos lo (27) (llamar) _____ don Julio. La gente del pueblo decía que de joven (28) (ser, él) _____ el hombre más guapo de toda la zona.

Estos tíos míos (29) (encantar, a mí) _____. (30) (Morirse, ellos) _____ los dos al poco tiempo. ¡Qué pena!

CHINCHARSE: Molestarse, fastidiarse.

C

1 Completa el texto con las palabras del recuadro.

> vivida · registrarte · los pasos · increíble · el formulario
> todos aquellos · no más de · una cuenta · etapa · inusuales

Primer Concurso de Anécdotas Universitarias

http://www.dinero20.com/2009/07/24/apuntate-al-concurso-de-anecdotas-universitarias-%C2%A1y-viaja-a-boston-1-semana/

La UDIMA (Universidad a Distancia de Madrid) está animando a presentarse a toda la comunidad universitaria al Primer Concurso de Anécdotas Universitarias. Cualquier universitario puede contar sus experiencias más divertidas e (1) _____. Y lo más importante: ¡Premia a los mejores trabajos con un (2) _____ viaje a Boston para dos personas!

En este curioso concurso pueden participar (3) _____ universitarios o antiguos universitarios mayores de edad dispuestos a compartir alguna anécdota (4) _____ durante su (5) _____ estudiantil.

A continuación te explicamos (6) _____ que debes seguir para concursar:

1 Graba un vídeo de (7) _____ cinco minutos de duración donde debes aparecer contando una anécdota universitaria.

2 Súbelo a tu propio canal en Youtube (¿aún no posees (8) _____? Puedes (9) _____ y abrir una ahora mismo en: *http://www.youtube.com/create_account*).

3 Completa (10) _____ de inscripción con tus datos personales y la url del vídeo. Si has llegado hasta aquí, ¡ya estás registrado en el concurso!

(Texto adaptado)

2 Y ahora, contesta.

1 En el texto pone:

«La UDIMA (Universidad a Distancia de Madrid) **está animando a** presentarse a toda la comunidad universitaria al Primer Concurso de Anécdotas Universitarias.»

El verbo *animar* lleva detrás la preposición *a*. Es decir, *animar a* alguien *a* hacer algo.

Ya conoces otros verbos que funcionan así: *ayudar a alguien a hacer algo* e *invitar a alguien a hacer algo*. Escribe dos oraciones usando estos dos verbos.

_____

_____

2 En el texto aparecen varias palabras relacionadas con internet, di cuáles son y qué significan.

_____

_____

3 En la última parte del texto pone:

«Si has llegado hasta aquí, ¡ya estás registrado en el concurso!»

¿Recuerdas las oraciones condicionales?

En la primera parte (donde aparece *si* o *si no*) hay un pretérito perfecto de indicativo y en la segunda parte puede haber un presente de indicativo (como en esta) o un futuro o un imperativo.

Completa estas oraciones condicionales:

Si no has estudiado bastante _____.

Si te he molestado _____.

A Completa con el tiempo y modo correctos y señala la razón de tu decisión.

1 ● No me gusta que me (empujar) *empujen* por la calle.
  ▼ Ni a mí tampoco.

2 ● ¡Cuánto me alegro de que (estar, tú) _____ aquí.
  ▼ Y yo de veros a todos.

3 ● Creo que mis padres (ir) _____ a comprarme una moto.
  ▼ Chica, ¡qué suerte!

4 ● Me encanta que la gente me (escribir) _____.
  ▼ Y luego tú, ¿contestas o no?

5 ● Me parece que no (llegar, ellos) _____ todavía.
  ▼ Bueno, pues los (esperar, nosotros) _____.

6 ● Mis padres son unos pesados, no me dejan que (llegar) _____ después de las 2:00 los viernes por la noche.
  ▼ Los míos tampoco.

7 ● Lo siento, no puedo hacerlo, no tengo tiempo.
  ▼ Oye, no te pido que lo (hacer) _____ tú, solo quiero que me (explicar) _____ dos o tres cosas.

8 ● Quiero cortar con Enrique y no sé qué decirle. ¿Qué me aconsejas?
  ▼ Que le (decir) _____ claramente la verdad.

9 ● ¿A ti no te molesta que Alfredo te (interrumpir) _____ todo el rato?
  ▼ Pues... sí, un poco, pero no lo hace con mala intención.

10 ● Necesitamos que nos (enviar, ellos) _____ más ejemplares del libro.
  ▼ Pues pide que nos los (mandar, ellos) _____ urgentemente.

B Lee la información entre paréntesis. Fíjate en las respuestas y haz las preguntas.

1 *(Recorrer la Patagonia)*
  ● *¿Cuándo fuiste a recorrer la Patagonia?*
  ▼ Hace dos años, en primavera.

2 *(Tus vecinos de arriba están de obras en su casa)*
  ● ¿ _____ ?
  ▼ Porque queremos instalar aire acondicionado en nuestra casa.

3 *(Los hijos de tu compañero de trabajo ya no viven con sus padres)*
  ● ¿ _____ ?
  ▼ Cuando tenían 19 y 21 años.

4 *(Dedicarse a sus verdaderas aficiones)*
  ● ¿Desde _____ ?
  ▼ Desde que cumplí los 65 años.

5 *(Preguntas la opinión de alguien sobre la crisis económica. Tú crees que va mejorando poquito a poco)*
  ● ¿ _____ ?
  ▼ Sí, es verdad.

6 *(Quieres confirmar lo que has oído. Pedro y Miguel Ángel están enfadados)*
  ● ¿ _____ ?
  ▼ Sí, es cierto, están enfadados desde hace una semana.

C

1 Completa el texto con las palabras del recuadro.

> varios • ver • calidad • el teatro • hasta • creció • durante
> ganadora • salas • cartelera • algunos hechos

Mariela Encina Lanús

Desde hoy y (1) _____ el 9 de noviembre, doce propuestas
teatrales locales se podrán (2) _____ en distintos lugares de
la ciudad (3) _____ la Fiesta Provincial del Teatro. Además
de las funciones diarias, la (4) _____ integra actividades extra
a cargo de especialistas. La obra (5) _____ representará a
Mendoza (Argentina) en la Fiesta Nacional del Teatro.
Como no ocurría desde hacía (6) _____ años, en 2010 la
escena teatral de Mendoza (7) _____ mucho. Algo de esto
(las propuestas de teatro infantil y teatro danza) es lo que se verá en
la Fiesta Provincial del Teatro, que desde hoy y hasta el 9 de noviembre
se celebrará en (8) _____ y teatros de la ciudad.
Es suficiente con enumerar (9) _____ importantes para
confirmar el buen año, en términos de (10) _____ y cantidad,
que tuvo (11) _____ local que representará sus propuestas en los
teatros Independencia y Quintanilla y las salas Viceversa, Cajarmarca,
Tancredi y Trinidad Guevara.

(Texto adaptado)

2 Y ahora, completa.

1 Me encanta que el teatro _____.

2 Espero que las obras representadas _____.

3 Me molesta que la gente _____.

4 Me han aconsejado que _____ tres piezas de teatro en especial.

5 No queremos que esta iniciativa _____.

A Responde a las preguntas.

1 ● ¿Crees que la diversidad es mala?
  ▼ *No creo que sea mala, pero no a todo el mundo le gusta.*

2 ● ¿Qué te molesta más de tu pareja?
  ▼ Que _____.

3 ● ¿Y de tus compañeros/as?
  ▼ _____.

4 ● ¿Y qué es lo que más te gusta de ellos?
  ▼ De mi pareja, que _____, y de mis compañeros/as, que _____.

5 ● ¿Piensas que es mejor que cada persona viva en su país y no emigre?
  ▼ No, _____.

6 ● ¿Han dicho ustedes que se acaban las clase el viernes?
  ▼ No, _____ sino que _____.

7 ● ¿Por qué no me ayudas con este trabajo?
  ▼ _____ quiero que _____.

8 ● ¿Te importa que abra la ventana?
  ▼ No, lo que sí me importa es que _____.

B Completa usando una preposición.

1 _____ que estoy aquí noto que mi español va mejorando poco _____ poco. Creo que es porque practico mucho: _____ la mañana voy a clase; y _____ la tarde quedo _____ amigos hispanos y charlamos _____ la hora _____ volver _____ casa.

2 Anoche me acosté temprano, _____ las 10:30, creo. Pero esta mañana no he oído el despertador. Lo había puesto _____ las 7:30 _____ levantarme _____ esa hora y las 8:00, pero nada. No me he levantado _____ las 9:30 y he llegado tarde _____ la entrevista de trabajo.

3 Les he dicho que no se preocupen, que el trabajo estará terminado _____ el 30 _____ noviembre. Mi compañera y yo vamos _____ empezar _____ trabajar todos los días _____ las 17:00 aproximadamente y las dos creemos que _____ un par _____ semanas lo tendremos listo.

4 Bonifacio Ofogo es camerunés. Decidió viajar _____ España _____ completar sus estudios. Al principio le costó mucho comprender la manera _____ vivir _____ los españoles. Ahora Boni es un narrador _____ cuentos muy conocido _____ todo el mundo.

5 A lo largo del siglo XIX, _____ España se produjeron emigraciones económicas. Estas emigraciones siguieron _____ el siglo XX. Hasta 1860 se calcula que se embarcaron _____ Latinoamérica unos 200 000 españoles (fundamentalmente canarios, catalanes, gallegos, asturianos y cántabros).

C

1 Completa el texto con las siguientes palabras.

la salsa • dejaron • entretener • nuestra cultura • transmite
musicales • tierra • la comunidad • géneros • captar

Radio Costa Latina

¿Quiénes somos?

Somos una emisora que emite 24 horas de radio latina creada para (1) _____
latinoamericana que vive en la Costa del Sol y por supuesto para todos los malagueños,
españoles y europeos que reciben bien nuestra música latina.

FIEBRE LATINA además de (2) _____ e informar es un servicio para los latinos
que por alguna razón (3) _____ su tierra. FIEBRE LATINA tiene como base
(4) _____, pero maneja también los diferentes (5) _____ musicales como
son el merengue, el *reggaeton*, el vallenato, la bachata, el bolero tropical, consiguiendo
así entrar en diferentes gustos (6) _____.

Se (7) _____ desde Málaga y se encuentra en el dial 92,2 FM, con una cobertura
desde Calahonda (entrada de Marbella) hasta Motril (Costa de Granada).

Además, queremos prestar un servicio no solo de entretenimiento sino también social
a la comunidad latinoamericana para hacerles sentirse identificados cuando escuchan
nuestra música, igual que cuando estaban en su (8) _____. Y también
(9) _____ el interés de los españoles y europeos, enseñándoles nuestro ritmo
y (10) _____.

2 Y ahora, reacciona.

1 Es importante que los latinos _____.

2 Es bueno que los europeos _____.

3 Yo no creo que esa emisora _____.

4 A mí me parece que _____.

5 En esa información no he visto que _____.

Apéndice gramatical

Los demostrativos.

a ¿Los recuerdas?

Sirven para señalar en el espacio e indicar proximidad o lejanía.

*Usted está **aquí**.* → *Usted está en **este** lugar.*

b Los adjetivos y pronombres demostrativos.

Los pronombres demostrativos señalan de la misma forma que lo hacen los adjetivos. Se usan sin el sustantivo, que tiene que haber aparecido previamente.

Este / **Esta** / **Estos** / **Estas** se refieren a lo que está cerca de la(s) persona(s) que habla(n).
Los adverbios de lugar **aquí** / **acá** indican la cercanía.

Estas personas *que viven **aquí** al lado son muy amables.*
● *Mira, **aquí** hay camisas rebajadas.*
▼ *Sí, voy a probarme **esta**.*

Ese / **Esa** / **Esos** / **Esas** se refieren a lo que está más cerca de la(s) persona(s) que escucha(n).
Establece una distancia intermedia.
El adverbio de lugar **ahí** indica la distancia.
*Por favor, ¿me pone un kilo de **esos tomates**?*
● *¿Qué corbata me pongo?*
▼ ***Esa** que está en el armario.*

Aquel / **Aquella** / **Aquellos** / **Aquellas** se refieren a lo que está lejos de la(s) persona(s) que habla(n).
Los adverbios de lugar **allí** / **allá** indican la lejanía.
● *¿De quién es **aquel** coche?*
▼ *¿**Aquel** coche? Es mío. Si quieres te llevo a casa.*

Los neutros **Esto** / **Eso** / **Aquello** indican las mismas relaciones espaciales.
Se usan para referirse a un conjunto de cosas indeterminadas, a una idea o a algo desconocido.
● *¿Qué es **aquello**?* (algo desconocido).
▼ *No sé. Parece un platillo volante.*

*Chicos, hay que guardar **todo esto*** (conjunto de cosas indeterminadas) *que habéis dejado **ahí*** (conjunto de cosas indeterminadas).

Los pronombres de objeto directo e indirecto agrupados.

a Verbos que pueden construirse con dos elementos.

Hay verbos que llevan un objeto indirecto de persona y un objeto directo de cosa. Algunos de estos verbos son:

Comprar	*Decir*	*Explicar*	*Prestar*	*a alguien*	*algo*
Contar	*Enseñar*	*Mandar*	*Regalar*	*algo*	*a alguien*
Dar	*Escribir*	*Pedir*			

b ¿En qué orden aparecen los pronombres de objeto directo e indirecto?

   a Primero el pronombre de objeto indirecto y después el pronombre de objeto directo.

- *¿Te han dado ya tu regalo?*
- *No, dicen que <u>me lo</u> darán esta noche.*

       OI OD
- *Quiero una videoconsola, mamá.*
- *Bueno hijo, <u>te la</u> compraremos por tu cumpleaños.*

        OI OD

   b Este orden aparece también cuando se trata de verbos reflexivos.

- *¿Te has lavado las manos?*
- *Sí, ya <u>me las</u> he lavado.*

     OI   OD

c ¿Qué transformaciones ocurren cuando se encuentran?

> **Le**
> **Les** + lo, la, los, las ⟶   se lo, se la, se los, se las

- *No puedo esperar más, quiero darle la noticia a Francisco.*
- *Pues aquí está. Ya puedes *dárlela* ⟶ **dár<u>se</u>la**.

- *¿Les has enseñado a tus padres las notas?*
- *No, ahora voy a *enseñárlelas* ⟶ **enseñár<u>se</u>las**.

d ¿Dónde se colocan?

   a Delante del verbo en forma conjugada.

     ¿Que no sabéis dónde están las ilustraciones? **<u>Os las mandé</u>** *por e-mail la semana pasada.*

   b Detrás del imperativo afirmativo, formando una sola palabra.

     Pues no las encontramos. Por favor, **mánda<u>noslas</u>** *otra vez.*

   c Con los infinitivos y gerundios pueden ir delante del verbo en forma conjugada o detrás del infinitivo o gerundio, formando una sola palabra.

     ¿Te llegó el libro o tengo que **enviár<u>telo</u>** *otra vez /* **<u>te lo</u> tengo** *que enviar otra vez?*

     (Hablando por el móvil)
- *Por favor recuerda que tienes que darle mi recado a Lola.*
- *Precisamente en este momento* **<u>se lo</u> estoy dando** */* **estoy dándo<u>selo</u>**.

- *¿Vas a* **secar<u>te</u> el pelo** *ahora?*
- *Sí, voy a* **secár<u>melo</u>** *ahora mismo / Sí,* **<u>me lo</u>** *voy a* **<u>secar</u>** *ahora mismo.*

Los adverbios y las locuciones adverbiales.

DE LUGAR aquí, ahí, allí arriba / abajo cerca / lejos delante / detrás encima / debajo enfrente	**DE MODO** bien, regular, mal despacio / deprisa la mayoría de los terminados en -*mente**	**DE CANTIDAD** más / menos todo, algo, nada poco, bastante = mucho, demasiado, casi, solo	
DE TIEMPO ayer, hoy, mañana antes, ahora, después pronto = temprano / tarde siempre / nunca = jamás anteayer / pasado mañana anoche	**DE DUDA** quizá = quizás posiblemente, probablemente, tal vez, a lo mejor seguramente...	**DE AFIRMACIÓN** sí también cierto sin duda	**DE NEGACIÓN** no jamás = nunca tampoco

*Formación de los adverbios en -*mente*:

• La terminación -*mente* se añade directamente a los adjetivos que terminan en consonante o en -e: *fácil* → **fácilmente**. *Inteligente* → **inteligentemente**.
• Para los adjetivos que tienen forma masculina y femenina, la terminación -*mente* se añade a la femenina: *claro* → **clara** → **claramente**.

> **ATENCIÓN**
>
> Cuando aparecen seguidos varios adverbios en -*mente*, solo lleva la terminación el último.
>
> *Has explicado las dudas que teníamos **clara** y **brevemente**.*
> *Se esfozaron **física** y **mentalmente** para llegar a la final.*

Preposiciones que indican tiempo.

• **A** + horas.
*Te espero **a** la una en la puerta de la oficina.*
Frases fijas: *al amanecer, al atardecer, al anochecer, al día siguiente, a la semana siguiente.*
*Mi suegra se levantaba siempre al **amanecer**.*
*Lo operaron de la vista y **al día siguiente** ya pudo volver a casa.*

Estamos a + fecha.
***Estamos a** 26 de junio.*

• **EN** + años, periodos, estaciones, temporadas.
***En** primavera se llenan los gimnasios.*

Estamos en + mes, estación, año, siglo.

• **ENTRE:** se utiliza para expresar un momento no determinado entre dos límites.
*Te llamaré **entre** las 8:00 y las 10:00.* → en cualquier momento situado entre las 8:00 y las 10:00.

• **DESDE:** expresa el principio de un hecho de una acción.
+ **Día, mes, año.**
*No he visto a Juan **desde** el sábado pasado.*
+ **Fecha exacta.**
*Vivo aquí **desde** el 15 de septiembre de 1983.*

DESDE + sustantivo (no temporal):
***Desde** la muerte de su marido está muy triste.*
Desde que + verbo:
***Desde que** lo vio, supo que era el amor de su vida.*

Desde + artículo... **hasta** + artículo.
Las usamos para expresar el principio y el fin.
*Trabajo **desde** las 9:00 **hasta** las 14:00.*
*Tengo clase **desde** el lunes **hasta** el viernes.*
El artículo aparece delante de las horas y de los días de la semana.

- **HASTA:** tiempo límite.
  *No tendré su coche arreglado **hasta** el miércoles.*

- **TRAS:** después de.
  ***Tras** mucho esfuerzo consiguió abrir la puerta.*

- **HACIA:** expresa tiempo aproximado.
  *Saldré de casa **hacia** las 21:00.*

- **SOBRE:** sirve para expresar tiempo aproximado.
  Significa lo mismo que *hacia*.
  *Llegó **sobre** las 11:00.*

- **PARA:** señala el límite antes del cual debe ocurrir algo.
  *Estos deberes son **para** el lunes.*

- **POR:** expresa tiempo aproximado.
  ATENCIÓN nunca se usa con las horas.
  *Siempre nos visita **por** Navidad.*
  Frases fijas: *por la mañana, por la tarde, por la noche.*

- **DE:** sirve para referirse a una etapa de la vida:
  de niño, de adolescente, de joven, de mayor.
  ***De** adolescente discutía mucho con mis padres.*
  Momentos del día: *de día, de noche, de madrugada.*
  *El padre de Emi trabaja **de noche**.*

  De ... a: las usamos para expresar el principio y el fin.

> ### ATENCIÓN
> Ni las horas ni los días de la semana llevan artículo.
> *Trabaja **de** 9:00 a 14:00, **de** lunes a viernes.*

Ortografía y fonética.

• No se pronuncia la *'u'* que va en *'gue'* y en *'gui'*: *guerra*, *guitarra*; ni la que va en *'que'* y en *'qui'*: *queso*, *quiero*. Sí se pronuncia la *'u'* cuando va escrita así: *ü*, *pingüino*, *vergüenza*.	• La *'h'* nunca se pronuncia. *Alcohol* se pronuncia *alcool, *hospital* se pronuncia *ospital.	• La *'b'* y la *'v'* se pronuncian igual (el sonido es el de la *'b'*): *botella*, *vaso*.
• *Za / ce / ci / zo / zu* se pronuncian como θ en toda España excepto en algunas zonas de Andalucía, en Canarias y en Hispanoamérica donde se pronuncian como *'s'*.	• Detrás de L, N y S se escribe *'r'* pero suena *'rr'*: *Israel*, *Enrique*, *alrededor*.	• Hoy en día tampoco hay diferencia entre la *'ll'* y la *'y'*, excepto en algunas zonas del norte de España: *llave*, *yo*.
• En español hay solo cuatro consonantes que pueden duplicarse. Para recordarlo tienes la palabra CaRoLiNa: *acción, perro, lluvia, innecesario*.	• No existe diferencia de pronunciación entre *'ge'* y *'je'*, ni entre *'gi'* y *'ji'*: *general*, *jefa*, *gitano*, *jirafa*.	• La *'ph'* no existe en español, siempre se escribe *'f'*.

La acentuación.

a Reglas generales.

Llevan tilde (´) acento ortográfico:

1 Las palabras **agudas** (acentuadas en la última sílaba) que acaban en *vocal, -n* y *-s: sofá, jamón, compás.*

2 Las palabras **graves** o **llanas** (acentuadas en la penúltima sílaba) que no acaban en *vocal, -n* o *-s: Pérez, césped, inútil, árbol.*

3 Todas las palabras **esdrújulas** (acentuadas en la antepenúltima sílaba): *léxico, político, quirófano, sábana.*

4 Todas las palabras **sobreesdrújulas** (acentuadas en la sílaba anterior a la antepenúltima): *arréglasela, comunícaselo.*

b Acentuación especial:

- Cuando el acento recae en una sílaba con **diptongo**, y según las reglas anteriores, la tilde debe ir sobre la A (*andáis*), la E (*coméis*), la O (*adiós*). Cuando el diptongo lo forman la I y la U, se acentúa la que aparece en la última posición (*construí, veintiún*). Lo mismo ocurre cuando el acento recae en una sílaba con **triptongo**: *averiguáis.*

- Cuando el compuesto está formado por dos o más palabras que no llevan tilde, esta se coloca si el compuesto resulta **esdrújulo** o **sobreesdrújulo**: *diciéndole, búscala.*

- Los relativos *que, cual, quien,* y los adverbios *cuando, cuan, cuanto, como* y *donde,* llevan tilde en las oraciones interrogativas y exclamativas: *¿Cómo lo has hecho?, ¡Cuánto lo quiere!*

- La partícula *aún* lleva tilde cuando puede sustituirse por *todavía.*

- Los adverbios en *–mente* mantienen la tilde, si les corresponde, en el primer elemento: *lícitamente, dócilmente.*

- Cuando una palabra simple pasa a formar parte de una compuesta en primer lugar, pierde el acento ortográfico: *baloncesto, decimonono, decimoséptimo.*

- Los **monosílabos** (palabras que solo tienen una sílaba) no llevan tilde, salvo cuando existen dos con la misma forma, pero con distinta función gramatical.

- Los demostrativos *este, ese* y *aquel,* con sus femeninos y plurales se escriben sin tilde según las reglas de acentuación.
Solo se pondrá la tilde en el pronombre cuando existe riesgo de ambigüedad.

- El adverbio *solo* únicamente se escribirá con tilde para evitar la confusión.

- Las mayúsculas deben ir acentuadas de acuerdo con las reglas generales: *África.*

Contraste pretérito perfecto y pretérito indefinido.

ATENCIÓN
Recuerda que en algunas regiones de España y en Hispanoamérica no se usa el pretérito perfecto y, por tanto, no existe el contraste.

Pretérito perfecto	Pretérito indefinido
Usamos el pretérito perfecto para referirnos a hechos acabados (representados por el participio) en un tiempo que no ha terminado (representado por el presente del verbo *haber*). Presente de *haber* + participio de un verbo → acción acabada en tiempo no acabado. ***Este año he viajado*** *poco.* ***Hasta ahora no he ido*** *a Japón.*	**Usamos el pretérito indefinido** para referirnos a acciones y hechos acabados en un tiempo que ya ha terminado. ***El año pasado viajé*** *mucho.* *Yo* ***estuve*** *en Japón* ***en 2006****.*

Coincidencias	Diferencias
• Los dos presentan las acciones / los hechos terminados. *Nuestra ciudad* ***ha cambiado*** *mucho.* *En aquella época nuestra ciudad* ***cambió*** *mucho.* (Los cambios han ocurrido en los dos casos.) • Los dos sirven para hacer avanzar las acciones en contraste con la descripción del p. imperfecto. ***Me he levantado****,* ***me he vestido*** *y* ***he salido*** *a buscar trabajo. Y* ***he encontrado*** *uno de repartidor en un supermercado.* *Cuando* ***perdí*** *el trabajo, no* ***perdí*** *la ilusión:* ***preparé*** *un CV,* ***salí*** *a buscar otro empleo y lo* ***encontré*** *en una oficina.*	• **El pretérito perfecto** pone el límite temporal en el presente del hablante (= hasta ahora). *Nuestra ciudad* ***ha cambiado*** *mucho.* • **El pretérito indefinido** pone el límite temporal fuera del presente del hablante. *En aquella época nuestra ciudad* ***cambió*** *mucho.*

El caso especial de *nunca, siempre y alguna vez.*

Con pretérito perfecto	Con pretérito indefinido
Se sitúan en cualquier momento del pasado y llegan 'hasta ahora'. *¿Por qué tenemos que cambiar?* ***Siempre hemos actuado*** *así (hasta ahora).* *Yo,* ***nunca*** *(hasta ahora)* ***he ido*** *a Japón.* ***¿Has comido alguna vez*** *(hasta ahora) guacamole?*	Se sitúan en cualquier momento del pasado y cortan con el presente. ***Siempre actué*** *con buena voluntad (mientras fui jueza).* *Yo* ***nunca dije*** *una cosa así (en aquella reunión).* *¿****Comiste alguna vez*** *guacamole (cuando estuviste en México)?*

Los pasados y los marcadores temporales.

Pretérito perfecto	Pretérito indefinido
Sitúa un hecho terminado en cualquier momento del pasado que incluya el 'hoy' del hablante. Por eso, los marcadores que mejor combinan con este tiempo son los que indican la misma idea temporal.	Sitúa un hecho en cualquier momento pasado que no incluya el 'hoy' del hablante. Por eso, los marcadores que mejor combinan con este tiempo son los que indican un corte con el presente.
En estos últimos años ha aumentado *el número de estudiantes de español.* ***Este verano han venido*** *muchos estudiantes de todo el mundo.* ***Hasta ahora hemos recibido*** *treinta matrículas.* ***Hoy he matriculado*** *a tres alumnas más.*	***Entre 2000 y 2007 aumentó*** *el número de estudiantes de español.* ***El verano pasado vinieron*** *muchos estudiantes de todo el mundo.* ***La semana pasada recibimos*** *treinta matrículas.* ***Ayer matriculé*** *a tres alumnas más.*

El pretérito perfecto, el pretérito indefinido y el pretérito imperfecto.

Contrastes de significado.

Estudiamos aquí, por un lado, los rasgos comunes de los pasados que presentan la acción acabada, que nos informan de los hechos (p. perfecto y p. indefinido) y, por otro, el p. imperfecto que no nos informa del final de las acciones sino que las presenta ocurriendo, en su desarrollo; que habla de las circunstancias.

Pretérito perfecto / Pretérito indefinido	
1 Presentan las acciones acabadas. Y ambos son unidades de tiempo cerradas que expresan tiempo determinado.	2 Ambos se utilizan para presentar una sucesión de acciones. Con ellos «pasa» algo. Las acciones avanzan.
● *¿Y los deberes?* ▼ *Ya los* ***he hecho***. *El otro día* ***fui*** *al cine y* ***vi*** *una película estupenda.* ***He trabajado*** *en este proyecto toda mi vida.* ***Trabajé*** *varias horas y luego me fui a andar.*	***Me he acostado*** *y, como no podía dormir,* ***me he levantado***, ***he tomado*** *un vaso de leche,* ***he leído*** *un poco y* ***he vuelto*** *a acostarme.* ***Me sentí*** *mal,* ***me puse*** *el termómetro,* ***vi*** *que tenía fiebre y* ***llamé*** *al médico.*

ATENCIÓN

Durante + cantidad de tiempo + p. perfecto
p. indefinido

Durante unos minutos ***se quedó / se ha quedado*** *sin saber qué hacer, pero luego* ***reaccionó / ha reaccionado*** *y* ***actuó / ha actuado***.

Si expresamos costumbres, usamos el imperfecto.

Se quedaba *sin saber qué hacer durante unos minutos, pero luego* ***reaccionaba*** *y* ***actuaba***.

Pretérito imperfecto

1 Presenta las acciones, los hechos en su desarrollo, ocurriendo, sin informar de si han llegado o no hasta el final.

> ***Pensaba*** *hacer los deberes.*
> *Cuando te vi,* ***iba*** *al cine.*
> *En el calendario maya, el año 2001* ***aparecía*** *como 5117.*

Si queremos saber más, tenemos que preguntar:
> *Y al final, ¿****hiciste*** *los deberes o no?*
> *Por fin, ¿****fuiste*** *o no* ***fuiste*** *al cine?*

En el tercer ejemplo, se presenta el hecho de aparecer sin informar del final.

2 Sirve para presentar el decorado, el escenario, el ambiente que rodea a los hechos. Por eso la acción no avanza.

> *Esta mañana no he ido a trabajar porque no* ***me sentía*** *bien,* ***tenía*** *fiebre,* ***me dolía*** *todo el cuerpo.*

> *Aquel día no* ***me sentía*** *bien,* ***tenía*** *fiebre,* ***me dolía*** *todo el cuerpo, por eso* ***llamé*** *al médico.*

La acción es 'no ir a trabajar' y 'llamar al médico'. El imperfecto presenta el decorado, la escena.

3 Como consecuencia de todo lo anterior, el imperfecto se utiliza para hablar de costumbres y para describir, es decir, para hacer presente el pasado.

> *En aquella época las mujeres no* ***llevaban*** *pantalones,* ***estaba*** *mal visto.*
> *Mira, en esta foto* ***estábamos*** *en Iguazú.*
> ***Había*** *mucha gente, pero en la foto no se ve a nadie.*

El imperfecto acompaña al perfecto y al indefinido para expresar el decorado, la escena.

> *Cuando* ***me desperté****, el dinosaurio todavía* ***estaba*** *allí.*
> *Cuando* ***me he levantado****, no* ***había*** *nadie en casa.*

Y NO OLVIDES

La diferencia fundamental entre el perfecto y el indefinido está en el límite temporal:

- El perfecto lo coloca en el presente del hablante con un 'hasta ahora'.
- El indefinido lo coloca fuera del presente del hablante.

El pretérito pluscuamperfecto.

Forma	Uso
había habías había habíamos habíais habían } + participio → hablado → comido → vivido	Imagina que estás contando una serie de hechos pasados: 1, 2, 3, 4..., como en el Pretexto. Si hablas del 1, del 3 y del 4 y quieres volver al 2, **tienes que usar el p. pluscuamperfecto** porque **sirve para expresar una acción pasada anterior a otra también pasada.** Con él decimos que algo había ocurrido (o no) antes de ese momento.

• La anterioridad puede establecerse con el pretérito perfecto y con el pretérito indefinido.

● *¿Por qué no has traído el informe?*
▼ *Porque lo* **había metido** *en un cajón y al salir de casa lo he olvidado.*

● *¿Por qué llegaste tarde al examen?*
▼ *Porque no* **había puesto** *el despertador y me dormí.*

• La relación de anterioridad puede expresarse con otros recursos, no solo con un verbo.

Ayer, a las siete de la mañana, ya **me había levantado**.(Significa que me levanté antes de las siete.)

Era una superdotada. A los cuatro años ya **había aprendido** *a leer.* (Significa que aprendió a leer antes de los cuatro años.)

El condicional.

Forma.

> Se forma con el infinitivo + las terminaciones -ía / -ías / -ía / -íamos / -íais / -ían

Condicionales regulares.

Hablar	Comer	Subir
hablar**ía**	comer**ía**	subir**ía**
hablar**ías**	comer**ías**	subir**ías**
hablar**ía**	comer**ía**	subir**ía**
hablar**íamos**	comer**íamos**	subir**íamos**
hablar**íais**	comer**íais**	subir**íais**
hablar**ían**	comer**ían**	subir**ían**

Condicionales irregulares. Son los mismos que en futuro.

Pierden la -e:	Pierden una vocal y una consonante:	Pierden una vocal y añaden una -d:
Quer**e**r: querr**ía**	Ha**ce**r: har**ía**	Pon**e**r: pondr**ía**
querr**ías**	har**ías**	pondr**ías**
querr**ía**	har**ía**	pondr**ía**
querr**íamos**	har**íamos**	pondr**íamos**
querr**íais**	har**íais**	pondr**íais**
querr**ían**	har**ían**	pondr**ían**

Usos.

Usamos el condicional para:

✔ **Dar consejos con fórmulas de obligación.**
Deberías *trabajar menos y salir más.*
Tendrías *que contar a la policía lo que ha ocurrido.*

✔ **Hablar con cortesía.**
*¿***Podría** *explicar este ejercicio de nuevo?*
*¿***Le importaría** *volver más tarde?*

✔ **Expresar deseos.**
Sería *estupendo vivir en un mundo sin contaminación y con agua para todos.*
Nos apetecería *hacer un largo viaje por toda Hispanoamérica.*

El imperfecto también se usa para ser más amables.
(En una tienda)
● *Buenos días, ¿qué* **deseaba**?
▼ **Quería** *probarme ese vestido.*

✔ **Expresar inseguridad/probabilidad cuando la acción está en pretérito imperfecto o en pretérito indefinido.**

Para expresar inseguridad y probabilidad en presente usamos el futuro.

	Inseguridad/Probabilidad
¿Cuándo es el cumpleaños de Analía?	**Será** *el mes que viene porque es Acuario.*
¿Por qué llora Lucía?	*Porque* **tendrá** *hambre.*
¿Dónde está mi paraguas?	**Estará** *en el cuarto de baño.*

Y ahora, mira cómo funciona con los pasados.

	Seguridad	Inseguridad/Probabilidad
¿A qué hora te llamaron?	**Me llamaron** *a las 10:00 h.*	**Me llamarían** *a las 10:00 h.*
¿Qué le pasaba ayer a Ana?	*Le* **dolía** *la espalda.*	*Le* **dolería** *la espalda.*

RECUERDA

Seguridad	Inseguridad/Probabilidad
Presente	Futuro
Pretérito imperfecto	Condicional
Pretérito indefinido	Condicional

Presente de subjuntivo.
Forma.

✔ **El presente de subjuntivo tiene una vocal característica para todas las personas. Los verbos en *-er*, y en *-ir* tienen las mismas terminaciones.**

Verbos regulares en -ar	Verbos regulares en -er	Verbos regulares en -ir
vocal característica: *e*	vocal característica: *a*	vocal característica: *a*

Hablar	Comer	Vivir
habl**e**	com**a**	viv**a**
habl**es**	com**as**	viv**as**
habl**e**	com**a**	viv**a**
habl**emos**	com**amos**	viv**amos**
habl**éis**	com**áis**	viv**áis**
habl**en**	com**an**	viv**an**

✔ **Para formar el presente de subjuntivo de los verbos irregulares tienes que tener en cuenta la primera persona del singular (yo) del presente de indicativo.**

Hacer	Venir	Salir	Oír	Poner	Traer
haga	venga	salga	oiga	ponga	traiga
hagas	vengas	salgas	oigas	pongas	traigas
haga	venga	salga	oiga	ponga	traiga
hagamos	vengamos	salgamos	oigamos	pongamos	traigamos
hagáis	vengáis	salgáis	oigáis	pongáis	traigáis
hagan	vengan	salgan	oigan	pongan	traigan

✔ **Verbos que cambian E > IE. Terminan en *-ar*: *cerrar* o en *-er*: *entender*.**

Cerrar	Entender
cierre	entienda
cierres	entiendas
cierre	entienda
cerremos	entendamos
cerréis	entendáis
cierren	entiendan

ATENCIÓN

Las personas *nosotros* y *vosotros* son regulares.

> **Otros verbos en *-ar*:** *comenzar, despertar(se), empezar, pensar, sentar(se)...*
> **Otros verbos en *-er*:** *encender, perder, querer...*

✔ **Verbos que cambian O > UE. Terminan en *-ar*: *contar* o en *-er*: *poder*.**

Contar	Poder
cuente	pueda
cuentes	puedas
cuente	pueda
contemos	podamos
contéis	podáis
cuenten	puedan

ATENCIÓN

Las personas *nosotros* y *vosotros* son regulares.

> **Otros verbos en *-ar*:** *encontrar, probar, recordar, soñar, volar...*
> **Otros verbos en *-er*:** *doler, mover(se), oler, volver...*

✔ **Casos especiales.**

Ir	Ser
vaya	sea
vayas	seas
vaya	sea
vayamos	seamos
vayáis	seáis
vayan	sean

✔ **Más verbos irregulares.**

Verbos como CONOCER		Verbos como CONSTRUIR	
Presente de indicativo	**Presente de subjuntivo**	**Presente de indicativo**	**Presente de subjuntivo**
conozco	conozca	construyo	construya
conocemos	conozcas	construimos	construyas
	conozca		construya
	conozcamos		construyamos
	conozcáis		construyáis
	conozcan		construyan

> **Otros verbos que se conjugan igual:** *conducir, producir, reducir, traducir.*

> **Otros verbos que se conjugan igual:** *contribuir, destruir, disminuir, sustituir.*

Verbos como SENTIR		Verbos como REPETIR	
Presente de indicativo	**Presente de subjuntivo**	**Presente de indicativo**	**Presente de subjuntivo**
siento	sienta	repito	repita
sentimos	sientas	repetimos	repitas
	sienta		repita
	sintamos		repitamos
	sintáis		repitáis
	sientan		repitan

ATENCIÓN

Estos verbos cambian **E > I** en las personas *nosotros* y *vosotros*.

> **Otros verbos que se conjugan igual:** *divertir(se), convertir(se), preferir, sugerir.*

> **Otros verbos que se conjugan igual:** *pedir, seguir, conseguir, elegir, medir, servir, vestir(se), reír(se), sonreír, freír.*

Caber	Saber
quepa	sepa
quepas	sepas
quepa	sepa
quepamos	sepamos
quepáis	sepáis
quepan	sepan

Usos.

✔ Detrás de los *verbos de influencia*. Estos verbos expresan la influencia de un sujeto sobre otro. Tienen este significado: *aconsejar, dejar, desear, ordenar, pedir, permitir, querer, recomendar, sugerir...*

Con el mismo sujeto	Con distinto sujeto
Verbo de influencia + infinitivo	Verbo de influencia + *que* + subjuntivo
● *¿**Quieres** (tú) **venir** (tú) al concierto con nosotros?* ▼ *¡Me encantaría!*	● *¿**Quieres** (tú) que **compremos** nosotros las entradas?* ▼ *¡Estupendo!*

✔ Detrás de los *verbos que expresan sentimiento*. El subjuntivo aparece cuando el sentimiento sale hacia otra(s) persona(s).

Son verbos de este grupo: *alegrarse de, apetecer, encantar, gustar, importar, molestar, odiar, preferir, sentir, no soportar, sorprender...*

ATENCIÓN

Los verbos subrayados se utilizan en **tercera persona del singular y del plural** y se construyen como *gustar*.

Cuando el sentimiento no sale hacia otra(s) persona(s)	Cuando el sentimiento sale hacia otra(s) persona(s)
Verbo de sentimiento + infinitivo	Verbo de sentimiento + *que* + subjuntivo
● *¿Por qué no vamos a la bolera?* ▼ *A mí **no me gusta jugar** a los bolos. Prefiero (yo) ir (yo) a bailar.*	● *¿Estás enfadado con Jaime?* ▼ *Sí. Es que **no me gusta que me hable** (él) así delante de la gente.*

Aparición del indicativo y el subjuntivo.

✔ **Con verbos que expresan entendimiento, percepción y lengua (verbos «de la cabeza»):** *creer, pensar, parecer, oír, decir...*

Con indicativo	Con subjuntivo
En forma afirmativa e interrogativa.	**En forma negativa.**
Marta **cree que** *Alejandro no ganará el campeonato de ajedrez.*	*Marta* **no cree que** *pueda viajar a Barcelona este fin de semana.*
*¿**Has pensado que** faltan dos días para el cumpleaños de Elisa y todavía no le hemos comprado nada?*	***No he oído que** Juan vaya a divorciarse.*
*¿**No te parece que** Julio está muy extraño últimamente?*	*Yo **no he dicho que** Alfredo sea vago.*
*La directora **ha dicho que** mandará un informe sobre los nuevos contratos.*	

✔ **Con construcciones de *ser* o *estar* con adjetivos o sustantivos.**

Con indicativo	Con subjuntivo
• *Es + **verdad, evidente, seguro** + que* **Es cierto** *que el español es la segunda lengua de uso internacional.* *¿**Es verdad** que Antonio y Ana van a cerrar su empresa?* **Otros**: *obvio; cierto; indudable.* **Es indudable** *que el Sol sale por el Este y se pone por el Oeste.*	• *No es **verdad, evidente, cierto, seguro, obvio, indudable** + que* **No es verdad** *que Alberto tenga problemas con el jefe.*
• *Está + **claro, demostrado, comprobado, visto** + que* **Está demostrado** *que la Tierra es casi redonda.* **Está claro** *que, con la integración, todos ganamos.*	• *No está **claro, comprobado, demostrado, visto** + que* **No está demostrado** *que haya vida inteligente en otros planetas.*
	• *Es + **adjetivo/sustantivo** que no significa **verdad, evidente, seguro** + que* **Es un problema** *que no encuentre trabajo.* **Es bueno** *que todos hagamos un esfuerzo por la integración.*

ATENCIÓN

Lógico, natural y normal + *que* se construyen con subjuntivo.
Es normal *que Angélica quiera volver a su país;*
lleva mucho tiempo sin ver a su familia.

Glosario

el abrigo (U3)
   abrochar (U3)
   absurdo (U6)
   actuar (U5)
   acuerdo / de acuerdo (U1)
   adaptar (U6)
el águila (U5)
el ahorro (U2)
el ajiaco (U6)
el ajo blanco (U6)
   alquilar (U5)
   anoche (U1)
   anteayer (U1)
   apetecer (U5)
   aquello (U2)
el artículo (U3)
   asar (U6)
el astrónomo / la astrónoma (U3)
el aumento (U2)
   avanzar (U2)
el balcón (U1)
la ballena (U5)
el bañador (U3)
el beneficio (U2)
el biquini (U3)
la bitácora (U2)
el bizcocho (U6)
la botella (U1)
el botellón (U3)
el brik (U1)
la bufanda (U3)
la butaca (U5)
el cacillo (U6)
el cajero automático (U2)
el calcetín (U3)
la camiseta (U3)
el camisón (U3)
el carril (U1)
la cartelera (U5)
el cazo (U6)
la cazuela (U6)
la chaqueta (U3)
el ciclo (U3)
   cierto / cierta (U1)
el circo (U5)
   circular (U1)
   claro / clara (U6)
la coartada (U3)

el cochinillo (U6)
el cocido (U6)
   cocinar (U6)
la cola (U5)
el comercio (U1)
el cómodo / cómoda (U5)
   comprobado / comprobada (U6)
   conceder (U2)
   concienciar (U1)
el concierto (U5)
el concurso (U1)
la condición (U6)
el condicional (U1)
   conseguir (U2)
   consumir (U1)
el consumo (U1)
   contaminar (U1)
el contenedor (U1)
   contraria / llevar la contraria (U3)
   conveniente (U6)
el cordero (U6)
la cortesía (U1)
   coser (U3)
la costa (U6)
la costumbre (U3)
la crema (U6)
el cristal (U1)
el criterio (U3)
   cuenta / darse cuenta (U3)
   demostrado (U6)
   depender (U2)
   deprisa (U1)
   desde luego (U6)
el deseo (U5)
el desierto (U4)
   despacio (U1)
   destruir (U2)
   directo / directa (U5)
   disponer (U2)
la diversidad (U6)
   dorado (U1)
   duda / sin duda (U1)
el dulce de leche (U6)
   ecológico / ecológica (U1)
el edificio (U1)
el elefante (U5)
el emigrante / la emigrante (U6)
la energía (U1)

   enriquecer (U6)
la ensaimada (U6)
   enterarse (U3)
la entrada (U5)
el envase (U1)
la época (U3)
   érase una vez (U4)
el escáner (U2)
el escenario (U5)
el escurridor (U6)
   eso (U2)
   espectacular (U2)
el espectáculo (U5)
   esto (U2)
   estupendo / estupenda (U2)
la estupidez (U3)
   evidente (U6)
   evolucionar (U2)
la falda (U3)
   favorito / favorita (U5)
el fideo (U6)
la fila (U5)
el frasco (U1)
la fritada (U6)
la fuente (U6)
la función (U5)
la gastronomía (U6)
el gazpacho (U6)
   genial (U2)
la golondrina (U5)
la gracia (U5)
   granizar (U4)
el granizo (U4)
   gris (U4)
el guacamole (U6)
el guante (U3)
   helar (U4)
el hielo (U4)
la historieta (U3)
el horno (U6)
el humorista / la humorista (U5)
   idea / ni idea (U3)
   incómodo / incómoda (U5)
el indiano / la indiana (U6)
   impedir (U6)
   importar (U1)
   influir (U3/U5)
la inmigración (U6)

la innovación (U2)
la inquietud (U2)
la inseguridad (U1)
    insistir (U5)
la integración (U6)
    inventar (U2)
el invento (U2)
    invitar (U5)
    jamás (U1)
el jersey (U3)
el jubilado / la jubilada (U6)
la jirafa (U5)
la lata (U1)
la lavadora (U2)
la liebre (U5)
el león / la leona (U5)
la localidad (U1)
    lógico / lógica (U6)
    maltratar (U5)
    marcha / salir de marcha (U3)
la marginalidad (U6)
el marisco (U6)
    marrón (U4)
    masificar (U6)
el mecanismo (U3)
la media (U3)
el medio ambiente (U1)
el medio de transporte (U2)
    mejor / a lo mejor (U1)
el minicine (U5)
la moda (U3)
el molde (U6)
    molestar (U1)
    morado / morada (U4)
el mosquito (U5)
el multicine (U5)
el musical (U5)
    natural (U6)
    normal (U6)
    nunca (U1)
    ocre (U4)
    oficial (U3)
la olla (U6)
la ópera (U5)
    opinar (U4)
la opinión (U4)
    orientado / orientada (U1)
el oso panda (U5)
la paella (U6)
el palco (U5)
el panel (U1)
la pantalla (U5)

el pantalón / los pantalones (U3)
la papa (U6)
el paraguas (U3)
el payaso (U5)
    pedir (U2)
la pena (U6)
el personaje (U4)
el pescado (U6)
la pila (U1)
el pimiento (U6)
la planta (U1)
el plástico (U1)
el portátil (U2)
    posible (U6)
    posiblemente (U1)
el postre (U6)
    preferido / preferida (U5)
el premio (U2)
la prenda (U3)
    prestado / prestada (U2)
la probabilidad (U1)
    probablemente (U1)
    proponer (U5)
el protagonista / la protagonista (U4)
    psicológico / psicológica (U5)
el pulpo (U6)
    quizá / quizás (U1)
    reciclar (U1)
el recipiente (U6)
    recomendar (U3)
    reducir (U1)
    relacionarse (U6)
la reserva (U5)
el residuo (U1)
    respetar (U2)
    reutilizar (U1)
    rogar (U5)
la ropa interior (U3)
    rosa (U4)
la rueda (U2)
la ruta (U4)
    saber / y yo que sé (U3)
el salario (U4)
la sartén (U6)
    seguramente (U1)
    seguro / segura (U6)
la selva (U4)
el semáforo (U2)
el sentimiento (U5)
la serpiente (U5)
el siglo (U3)
la sociedad (U6)

    solar (U1)
    soportar (U5)
el suministro (U2)
    supuesto / por supuesto (U6)
    tapujo / sin tapujos (U5)
la taquilla (U5)
    tarde (U1)
la tarjeta de crédito (U2)
el tarro (U1)
el tejado (U1)
el tejido (U3)
la tela (U3)
    temprano (U1)
la terraza (U1)
el tetra-brick (U1)
la tortuga (U5)
el trapecista / la trapecista (U5)
el trozo (U3)
la trucha (U6)
la urbanización (U1)
el vacuno (U6)
el vecino / la vecina (U1)
el vehículo (U1)
la ventaja (U2)
la verdura (U6)
la versión original (U5)
la versión subtitulada (U5)
    vez / tal vez (U1)
la viñeta (U3)
    violeta (U4)
la zona (U1)

Transcripciones de las audiciones

Unidad preliminar

Pista 1
Actividad 2 B.

● Buenas tardes, señor. Una pregunta, por favor, es para Onda Meridional. ¿Duerme usted la siesta?

▼ Sí, trabajo de 8:00 a 15:00, como y después me echo la siesta en el sofá unos veinte minutos. ¡Ah! Una cosa, necesito tener el televisor encendido, si no, no puedo dormir.

● Hola, chico, ¿puedes contestar a una pregunta? Es para Onda Meridional. ¿Te echas la siesta?

▼ No siempre, pero cuando tengo exámenes, como ahora, sí duermo la siesta. Duermo cuatro o cinco horas por la noche y, luego, duermo una hora o más de siesta.

● Gracias y suerte en los exámenes.

▼ Señora, por favor, una pregunta: ¿Duerme usted la siesta?

● No puedo, no tengo tiempo, pero los domingos, sí. Terminamos de comer y me voy a la cama y duermo entre 45 y 50 minutos.

▼ Gracias.

● Hola, chica, una pregunta, por favor, es para Onda Meridional. ¿Duermes la siesta?

▼ Nunca. Cuando termino de comer, me pongo las zapatillas deportivas y salgo a andar una hora. La siesta es para las personas mayores, como mis abuelos, por ejemplo.

● Gracias.

Unidad 1: La ciudad es mi planeta

Pista 2
PRETEXTO. Actividad 1.

Para mí, una ciudad ecológica sería pequeña. Los edificios no serían muy altos, estarían bien orientados y habría paneles solares en todos los tejados. Los vecinos tendrían que poner plantas en todas las terrazas y balcones. Anualmente se celebraría un concurso de plantas y se daría un premio a la más bonita. Pondría un carril para las bicis por donde los ciclistas podrían circular sin peligro y prohibiría el tráfico por el centro, excepto para los vecinos, taxis, autobuses y ambulancias, que circularían lentamente. Y funcionaría un tranvía eléctrico. Habría espacios verdes en cada barrio, donde los niños jugarían al aire libre, los mayores se sentarían en los bancos, los jóvenes se reunirían con sus amigos y todos podrían hacer deporte. Potenciaría un pequeño comercio que recuperaría el trato humano entre vendedores y clientes.
¿Pido demasiado?

Pista 3
DE TODO UN POCO. Actividad 3.

1. ● ¿Puedes poner la música más baja? Es que me molesta.
   ▼ Sí, perdona, ahora mismo la bajo.
2. ● ¿Os importa llevarme a la estación?
   ▼ Es que no podemos. De verdad, lo sentimos mucho.
3. ● ¿Podéis cambiar de canal? Es que no me apetece ver el tenis.
   ▼ Pues a mí me apetece mucho verlo.
4. ● ¿Le importaría dejarme el periódico?
   ▼ Claro que no, tómelo.
5. ● ¿Cierras la puerta? Hace un poco de fresco.
   ▼ No quiero cerrarla; es que yo tengo calor.
6. ● ¿Sería tan amable de volver a llamar?
   ▼ De acuerdo, ¿a qué hora?
7. ● ¿Me prestas el coche para este fin de semana?
   ▼ No puedo porque me voy a Granada.
8. ● ¿Podríamos vernos otro día? Hoy tengo mucho trabajo.
   ▼ Sí, no hay inconveniente.

Pista 4

DE TODO UN POCO. Actividad 4.

Y ahora, para terminar nuestro programa, queridos oyentes, quiero recordarles que mañana por la tarde viene el alcalde a nuestros estudios de Onda Meridional para hablar de una ciudad más limpia.

¿Serían tan amables de colaborar con nosotros? ¿Tienen ustedes alguna pregunta o sugerencia para él?

● A ver, usted, señora.

▼ Sí, bueno... A mí me parece muy bien todo esto del reciclaje, pero ¿no podrían recoger los vidrios a otra hora? Es que me despiertan todos los días las 5:00 y ya no me puedo dormir. Esta es la pregunta que le haría.

● Sí, dígame usted, señor:

▼ Algo muy simple: le preguntaría por qué no pone contenedores en las urbanizaciones y no sólo en las zonas céntricas. Se reciclaría mucho más.

● Quiero hablar, por favor, quiero hablar.

▼ Adelante, señora.

● Yo no le haría ninguna pregunta, simplemente colocaría el vertedero que han puesto junto a mi casa al lado de la casa del alcalde. Creo que no le gustaría...

● Me despido y ya saben que pueden dejar sus preguntas y sugerencias en: *visitaalcalde@ondameridional.es* o en el teléfono 952 20 20 20.

¡Hasta mañana!

Unidad 2: ¡Cuánto hemos cambiado!

Pista 5

PRETEXTO. Actividad 1.

¿Alguna vez te ha interesado saber quién inventó el lápiz, los zapatos de tacón, internet, etc.? Si es así, tú y yo coincidimos en la misma inquietud, por eso en este *blog* (o bitácora como se dice en español) voy a investigar y contar las historias de aquellos inventos que han cambiado nuestra vida.

El contestador automático, por ejemplo, fue un invento revolucionario, sobre todo en el mundo de la empresa. Pero este aparato también se metió en nuestras casas hace mucho tiempo.

¿Ha cambiado mi vida el contestador automático? Pues sí. Gracias a él encontré el trabajo de mis sueños. Me dejaron un mensaje por error. Me presenté a la entrevista y me dieron el trabajo. Aunque ya no lo uso tanto como antes, todavía no lo he quitado. Sigue al lado del teléfono. Y tú, ¿qué me cuentas del contestador?

¿Y qué me dices del bolígrafo, algo tan pequeño y tan útil?

Lo inventaron en 1938 los hermanos húngaros, Laszlo y George Biro. Yo, desde que compré mi primer boli, siempre he llevado uno en el bolso o en la cartera.

Y una curiosidad, en algunos países se llama 'lapicera', 'birome' (del apellido de los hermanos Biro y el de su socio Meyne) –que fue su nombre original–, 'puntabola' y de otras muchas maneras.

Bueno, lo dejo aquí por hoy, pero espero vuestros comentarios y vuestros inventos preferidos.

Nos vemos.

Pista 6

DE TODO UN POCO. Actividad 1 C.

Tenemos en línea a nuestra reportera que habla con doña Inés Ayllón, la alcaldesa de nuestra ciudad.

● Buenos días, señora alcaldesa: ¿qué puede decirnos de la ciudad que usted dirige desde 2001?

▼ Nuestra ciudad ha cambiado mucho en los últimos años. Estos cambios la han convertido en una ciudad más limpia, más verde, más habitable.
Para verlo solo hay que pasear por cualquier barrio.

● ¿Podría señalar los cambios más importantes y cuándo se hicieron?

▼ Pues sí, claro. Nuestro plan de transformación ha tenido varias etapas. La primera de ellas fue al principio de nuestro mandato: entre 2001 y 2003.
Durante ese periodo, transformamos el centro histórico e hicimos todas las calles peatonales. La segunda etapa fue en 2005. Durante ese año plantamos los árboles del cinturón verde de la ciudad y construimos dos parques públicos y un estadio.

● Veo que invirtieron mucho dinero.

▼ Pues sí. Una ciudad que quiere ser más moderna tiene que gastar mucho dinero en beneficio de todos.

● Muchas gracias, señora Ayllón por sus declaraciones y ánimo. Esta ciudad cada día está más bonita.

▼ De nada. Estoy a su disposición.

Pista 7

DE TODO UN POCO. Actividad 3.

1. ● ¿Quieres venir con nosotras? Vamos a la bolera.
   ▼ Lo siento, pero no puedo. Es que tengo un examen dentro de dos días y además fui a la bolera hace un par de días.
2. ● No sé qué podemos hacer este fin de semana. Han dicho que va a llover.
   ▼ ¿Por qué no hacemos una cena en casa?
   ● No gracias. La semana pasada hicimos una cena. Ya lo pensaremos mañana.
3. ● ¿Hacemos una pausa y tomamos un café?
   ▼ Sí. ¡Qué buena idea! He dormido muy mal esta noche y ahora estoy cansado.
4. ● Tengo dos entradas para el concierto, ¿vienes?
   ▼ Gracias, ¡qué bien! Me encanta Nena Daconte. Otro día te invito yo.
5. ● ¿Me acompañas a la tintorería?
   ▼ De acuerdo, pero después me llevas en coche a mi casa. ¿Vale?
   ● Vaaaale, de acuerdo.

Pista 8

DE TODO UN POCO. Actividad 4.

● ¿Te das cuenta, Carmen, de la cantidad de cambios que se han producido durante nuestras vidas?

▼ Sí. La cirugía ha avanzado muchísimo, pero todavía los médicos saben poco de las alergias y de las enfermedades mentales. También han aparecido enfermedades nuevas, como el SIDA. Y hablando de cosas más agradables, los electrodomésticos han sido y son una gran ayuda en los hogares, especialmente, la lavadora.

● Sí... la lavadora, el frigorífico, el lavavajillas, el micro ondas. Bueno, todo. ¿Y qué me dices de la televisión?

▼ Que ha cambiado nuestras vidas. El desarrollo de las telecomunicaciones ha sido increíble. Y ¡cuántos inventos!: los móviles, internet. ¡Madre mía!

● Sí, sí y los sistemas de transporte también han progresado mucho. Bueno todos, todos no. Los aviones no han evolucionado mucho. Cuando vamos a visitar a Marga y a Alfredo a Bruselas tardamos el mismo tiempo que hace 20 años.

▼ ¿Y qué cambios verán nuestros bisnietos?

● Yo creo que no habrá libros en papel. Existirá una gran biblioteca en internet. Oye, ¿crees que tendrán más hijos que ahora?

▼ Creo que sí, porque la madre o el padre podrán quedarse dos años o más sin trabajar.

● ¿Crees que serán felices?

▼ Eso dependerá de ellos mismos.

● Bueno, voy a poner la tele, que empiezan las noticias.

Repaso 1: *Unidades 1 y 2*

Pista 9

Actividad 3 A.

Diálogo 1

● ¿Qué podríamos hacer en las vacaciones de verano?
▼ ¿Por qué no vamos a recorrer el Amazonas?
● Me encantaría, pero tendremos que prepararlo muy bien.

Diálogo 2

● ¿Os importa llevarme al aeropuerto?
▼ Es que no podemos. De verdad, lo sentimos mucho, los dos tenemos turno de tarde.

Diálogo 3

● ¿Puede bajar el volumen de la música, por favor? Es que no nos oímos.
▼ Sí, claro, disculpe, ahora mismo lo bajo.

Diálogo 4

● ¿Quieres venir con nosotros? Vamos a correr.
▼ Lo siento, pero no puedo. Es que tengo un examen dentro de dos días y, además, no me encuentro muy bien. Gracias de todas formas.

Diálogo 5

● ¿Podríamos vernos otro día? Hoy tengo mucho trabajo.
▼ Sí, no hay inconveniente, hombre, pero recuerda que la vida es algo más que trabajo y que hay que divertirse.

Pista 10

Actividad 3 B.

Jorge Luis Borges nació el 24 de agosto de 1899 en Buenos Aires, Argentina. Estudió en Ginebra y vivió poco tiempo en España. En 1921 volvió a su país.

En 1930 empezó a perder la visión hasta quedarse ciego.

Trabajó en la Biblioteca Nacional de 1938 a 1947 y, después, la dirigió entre 1955 y 1973.

En sus obras, Borges creó un mundo fantástico, difícil de comprender. Su obra *Ficciones* (1944) la componen una serie de relatos cortos considerados por la crítica como literatura perfecta.

Otros libros importantes de relatos son *El Aleph* (1949) y *El hacedor* (1960).
Borges nunca escribió una novela porque decía que en un cuento se encontraba todo lo que quería contar.

Recibió muchísimos premios, pero nunca le dieron el Nobel de Literatura.
Murió en Ginebra el 14 de junio de 1986.

Unidad 3: La medida del tiempo

Pista 11
PRETEXTO. Actividad 1.
El astrónomo y filósofo griego Sosígenes midió el tiempo y nos dio un calendario de 365 días y 6 horas. Este calendario, asombrosamente exacto para la época, fue oficial durante el Imperio romano.
Después, cada cultura ha medido el tiempo a su manera. Por ejemplo, según el calendario gregoriano el siglo XXI comienza en 2001. Para los musulmanes este cambio de siglo fue en 1423 y para los tibetanos lo será en 2128.
Y en los calendarios judío y maya, que se remontan al origen de los tiempos, el año 2001 aparecía como 5761 y 5117 respectivamente.

Pista 12
DE TODO UN POCO. Actividad 3 A.
1. ● ¿Sabes si Leticia se fue a México?
   ▼ Sí, se fue con un trabajo estupendo, pero ya ha vuelto.
2. ● ¿Qué sabes de Miguel?
   ▼ Desde que se fue a Colombia no he tenido noticias suyas.
3. ● Oye, ¿te has dado cuenta de que cada día vienen menos alumnos a clase?
   ▼ Sí, ya me he dado cuenta. ¿Por qué será?
4. ● ¿Qué hay entre Paloma y Joaquín?
   ▼ ¡Y yo qué sé!
5. ● ¿Te has enterado de que han secuestrado un avión?
   ▼ No, no sabía nada, cuenta, cuenta.
6. ● ¿Sabes si hubo clase la semana pasada?
   ▼ No, no hubo porque el profesor se puso enfermo.
7. ● ¿Sabes que mañana estrenan *El ave de la alegría*?
   ▼ Sí, me lo han dicho. He quedado con Pablo para ir.
8. ● ¿Sabes que hoy es el día de la madre?
   ▼ Sí, ya lo sé y he llamado a mi madre.
9. ● ¿Has oído que nos van a subir el sueldo?
   ▼ Sí, he oído hablar de eso, pero no lo creo.
10. ● ¿Te has enterado de que habrá huelga general?
    ▼ No tenía ni idea.

Pista 13
DE TODO UN POCO. Actividad 4.
● ¿Qué significa para usted la moda? ¿La sigue?
▼ ¡La moda! ¿Me habla usted de esos hombres con pelo largo y pendientes, de esas mujeres con esos zapatos con los que parecen de todo, menos eso, mujeres? Mire, el mundo está cambiando, pero yo creo que va hacia la ordinariez y hacia la estupidez. Soy un amante de la pintura, pero de la pintura de verdad, pero ahora tenemos el Arte Moderno. ¿Cuántas personas lo entienden? ¿Y qué me dice de esos grupos musicales de aspecto sucio y de tan mal gusto? Eso no es música, tienen ritmo, sí, pero siempre el mismo. ¿Cómo va usted a comparar con la armoniosa música de un bolero o un tango? ¿Y la literatura? Ahora resulta que, para leer un libro, hay que empezar por la página 40. ¿Estamos locos o qué?

■ Es muy fácil decir que la moda es mala, que es una forma de hacernos consumir más. Creo que hay que verla en todos sus aspectos. Ahora, por ejemplo, está de moda cuidarse: no fumar, comer sano, hacer ejercicio. La moda de seguir costumbres orientales nos hace vivir mejor. Y todo eso es muy bueno. Seguir la moda me parece divertido. ¡Qué horror vestir siempre igual! Sí, a mí me gusta ir a la moda, es una de mis aficiones. Para mí, seguir la moda es una forma más de estar al día, como en política, sociedad, etc. A mí me parece que los que se oponen totalmente a seguirla, solo quieren llamar la atención.

▼ Como puede ver, yo no sigo la moda. Soy clásica en mi manera de vestir, de decorar mi casa. Y todo por una razón práctica: lo clásico, como su nombre indica, nunca pasa de moda. Además, me parece una de las maneras más claras de esclavizar a una mujer. Me explico: un hombre puede llevar años y años el mismo traje de chaqueta y siempre va bien. No sé por qué las mujeres entran en el juego de ir siempre a la moda. Otra cosa son los jóvenes: para ellos puede ser una forma de afirmar una personalidad que todavía no está bien formada. Yo los respeto. Pero mire, cuando es el cumpleaños de mis nietos, que tengo 3, yo les doy dinero y ellos se compran lo que les gusta.

UNIDAD 4: Vamos a contar historias

Pista 14
PRETEXTO. Actividad 1.
Un abrazo muy peculiar.
Un día, mi padre fue a comer a un restaurante con unos amigos. Le habían dicho que era muy bueno y que estaba muy bien de precio. La comida fue un desastre. Todos empezaron a discutir con el pobre camarero, que no tenía culpa de nada. Mi padre llamó al dueño y le dio un abrazo. El propietario, asombrado, le preguntó:
● ¿Tan contentos han quedado con la comida?
Y mi padre dijo:
▼ No, es que como no pienso venir nunca más, quería despedirme de usted para siempre.

Pero, ¿qué pasa?
Yo había pasado un día estupendo subiendo y bajando montañas, estaba muy cansado y me fui a mi tienda a dormir. Llevaba un rato durmiendo cuando me desperté asustado porque había sentido que la tienda se movía. «Es una pesadilla», pensé. Busqué la linterna, pero me la había dejado fuera; encontré unas cerillas pero no pude encenderlas, así que empecé a tocar el suelo y sí, se movía. Salí de la tienda, agarré la linterna y me puse a buscar la causa de lo que había notado dentro. Después de un rato vi un bulto que se movía, que se desplazaba. Era un topo despistado.

Pista 15
PRACTICAMOS LOS CONTENIDOS GRAMATICALES. Actividad 5.
1. Cuando cuentes cuentos,
   cuenta cuántos cuentos cuentas,
   porque si no cuentas cuántos cuentos cuentas,
   nunca sabrás cuántos cuentos cuentas tú.
2. El perro de san Roque
   no tiene rabo
   porque Ramón Ramírez
   se lo ha robado.
3. Un tigre, dos tigres, tres tristes tigres comen trigo en un trigal.
4. Pablito clavó un clavito, un clavito clavó Pablito.
   ¿Qué clase de clavito clavó Pablito?
5. Como poco coco como,
   poco coco compro.
6. Rápido corren los carros, cargados de azúcar del ferrocarril.
7. Pepe Peña,
   pela papa,
   pica piña,
   pita un pito,
   pica piña,
   pela papa,
   Pepe Peña.
8. El amor es una locura que solo el cura lo cura,
   Pero el cura que lo cura comete una gran locura.

Pista 16
DE TODO UN POCO. Actividad 1 A 2.
Érase una vez una chica joven que vivía con su madre y dos hermanas en una casa grande. A las hermanas no les gustaba Cenicienta y siempre estaban riéndose de ella. Además, Cenicienta tenía que hacer todas las cosas aburridas que la madre les mandaba: fregar los platos, limpiar el baño, etc.
Cada mes su padre, que estaba trabajando en la UNESCO en África, mandaba dinero a las chicas, pero las hermanas lo cogían todo, por eso Cenicienta nunca tenía nada.
Un día, las hermanas de Cenicienta estaban muy alegres cuando volvieron a casa después de la escuela. Un chico les había vendido dos entradas para el concierto de Ricky Martin del sábado próximo. «¿Por qué no me comprasteis una para mí también?» –preguntó Cenicienta–, pero las hermanas no escucharon, querían ir de compras en ese mismo momento. «Tenemos que estar guapas el sábado» –le dijeron.
Llegó al sábado y Cenicienta se quedó sola en casa, limpiando. De repente el timbre sonó. «¿Quién puede ser?» –pensó la chica y abrió la puerta. Allí estaba Ricky Martin. «¡Hola, mi coche se ha averiado y tengo que ir a un concierto ahora mismo, ¿puedes ayudarme?». «Ja, ja, ja» –pensó Cenicienta. «Esta es mi oportunidad». «No puedo ayudarte con el coche, pero si quieres, puedes llamar por teléfono» –dijo Cenicienta.

Ricky quedó tan agradecido que le regaló una entrada. Estuvo en el mejor sitio y pudo ver que Ricky la miraba todo el tiempo. Después la invitó a cenar con él. Los dos se enamoraron y...

Pista 17
DE TODO UN POCO. Actividad 3 A.

1. ● ¿Qué te parecen las clases de español?
   ▼ Me gusta la profesora, pero para mí son un poco lentas.
2. ● ¿Qué les parecen las nuevas instalaciones deportivas?
   ▼ En mi opinión falta espacio para la gimnasia.
3. ● Perdone, en su opinión, ¿debería el Gobierno rebajar los impuestos?
   ▼ Para mí sería estupendo, pero no sé si sería bueno para todo el mundo.
4. ● ¿Cuál es su opinión sobre la globalización?
   ▼ ¿La globalización? ¡Huy! Pues no sé qué decirle.
5. ● ¿Creéis que deberían legalizarse todas las drogas para evitar el tráfico con ellas?
   ▼ Yo creo que no. Habría mucho más consumo.
   ■ Pues a mí me parece que estaría muy bien legalizarlas.
6. ● ¿Qué opina de las células madre?
   ▼ No estoy seguro. No me he informado bastante.
7. ● ¿Creen ustedes que deberían eliminarse todas las centrales nucleares?
   ▼ Yo no tengo ni idea.
   ■ Yo creo que sí porque son muy peligrosas.
8. ● ¿Qué opináis de los móviles de última generación?
   ▼ A mí me encantan. Creo que nos van a resolver muchas cosas.
   ■ Yo creo que no necesitamos tantas aplicaciones.

Pista 18
DE TODO UN POCO. Actividad 4.

● Venga, Cristina, enséñanos la revista de viajes por Europa que ha sacado el Área de Juventud.
▼ Mirad, hay cuatro rutas. Las diferencias de precio son muy pequeñas.
● Unos amigos acaban de venir de Praga, Viena y Budapest y me han dicho que es una ruta estupenda.
▼ Sí, esa es la ruta número 3.
▲ ¿Y cuál es la primera?
▼ La Costa Azul francesa y toda Italia de norte a sur.

▲ A mí esa me apetece mucho. ¡La Costa Azul!
● A mí me encanta Italia, pero ya he estado dos veces y prefiero conocer otros países.
■ Bueno, dinos cuál es la número dos.
▼ Esta creo que también está muy bien. Francia, Bélgica, Holanda.
▲ Sí, reconozco que está muy bien, pero el curso próximo voy a Ámsterdam para un semestre con la beca Erasmus y tendré la oportunidad de viajar por ahí.
■ Si seguimos así, me parece que nos vamos a quedar con la de Praga. A ver la número 4.
▼ Suiza y Alemania.
■ Yo ya lo he decidido, la de Praga.
● Yo prefiero la de Suiza.
▼ Pues yo no. Yo me quedo con la de Praga. Me apetece mucho conocer Budapest.
■ Y a mí también. Todo el mundo dice que es una ciudad maravillosa.
● Pues está claro, nos vamos a Praga, Viena y Budapest.
▼ ¿Y cuándo nos vamos, la segunda quincena de julio o en agosto?
■ Yo creo que a todos nos viene mejor en julio, ¿no?
● Sí, sí.
▼ Pues perfecto, pasado mañana vamos a inscribirnos y a dejar un depósito del 20%. ¿Vale?
● De acuerdo. ¡Hasta mañana!

Repaso 2: *Unidades 3 y 4*

Pista 19
Actividad 3 A.
Diálogo 1
● ¿Te has enterado de que han cambiado la hora de la clase de Literatura del viernes?
▼ ¡Ah! No tenía ni idea. ¿Y a qué hora es?
● A las diez, en el aula 8.
▼ Pues gracias por la información.

Diálogo 2
● Buenos días, ¿el señor Usandizaga, por favor?
▼ En este momento está ocupado. ¿Sería tan amable de esperar un momento?

Diálogo 3
● ¿Qué les parece el nuevo hotel?
▼ A mí me parece que falta un gimnasio. Mucha gente, cuando viaja, quiere hacer deporte sin salir del hotel.

Diálogo 4
● ¿Quieres venir con nosotros? Vamos a correr.
▼ Lo siento, pero no puedo. Es que tengo un examen dentro de dos días y, además, no me encuentro muy bien. Gracias de todas formas.

Pista 20
Actividad 3 B.

1. En una conferencia, el público estaba cansado y aburrido. Cuando terminó, el conferenciante preguntó si alguien quería hacer alguna pregunta. Desde el fondo de la sala, se oyó una voz que decía: «¿Qué hora es más o menos?».

2. Oliver, un alumno principiante de español, aprendió en clase que lengua e idioma eran sinónimos. Un día fueron de excursión en autobús y, cuando iban por el campo, dijo a su compañero de asiento, ¡Mira una vaca con el idioma fuera!

3. Oído en un avión aterrizando en Washington: «Mira, hijo, ¿ves ese edificio cuadrado de ahí abajo? Es el Pentágono».

Unidad 5: Los espectáculos

Pista 21
PRETEXTO. Actividad 1.
a. Papá, quiero que me lleves al circo.
b. No soporto que la gente coma palomitas en el cine.
c. Les aconsejo que vayan al teatro al aire libre.
d. ¡Espero que te diviertas en el concierto!

Pista 22
PRACTICAMOS LOS CONTENIDOS GRAMATICALES. Actividad 5 B.
Me gustaría ser.
Una tarde, hace muchísimo tiempo, Dios convocó una reunión.
Estaba invitado un ejemplar de cada especie.
Una vez reunidos y después de escuchar muchas quejas, Dios soltó una sencilla pregunta, «¿entonces qué te gustaría ser?»
A lo que cada uno respondió sin tapujos y a corazón abierto:
La jirafa dijo que le gustaría ser un oso panda.
El elefante pidió ser mosquito.
El águila, serpiente.
La liebre quiso ser tortuga y la tortuga golondrina.
El león rogó ser gato.
El caballo, orquídea.
Y la ballena solicitó permiso para ser zorzal...
Le llegó el turno al hombre, quien, casualmente, venía de recorrer el camino de la verdad.
Él hizo una pausa y exclamó:
Señor, yo quisiera ser... feliz.

Pista 23
PRACTICAMOS LOS CONTENIDOS GRAMATICALES. Actividad 6
1. calle. 2. Juan. 3. corazón. 4. plátano. 5. fútbol. 6. García Márquez. 7. bien. 8. González. 9. portátil. 10. reloj. 11. corréis. 12. mecánico. 13. redacción. 14. solicitud. 15. lápiz. 16. tienda. 17. allí. 18. justicia. 19. dáselo. 20. vacaciones. 21. perro. 22. guantes. 23. último. 24. histórico. 25. aquí.

Pista 24
DE TODO UN POCO. Actividad 3 A.
1. ● Hola, Clara, te llamo porque tengo dos entradas para el concierto del centenario de Albéniz, el miércoles a las 19:00, ¿te apetece venir?
   ▼ A ver, a ver... el miércoles, sí, no tengo nada que hacer, después te invito yo a unas tapas. Gracias, Guillermo.
2. ● Te invito a cenar, me han tocado unos euros en la lotería.
   ▼ Enhorabuena, encantada, eso no pasa todos los días.
3. ● Vente conmigo al circo. Yo te invito.
   ▼ Bueno, si insistes..., pero preferiría ir a otro espectáculo. El circo no me gusta mucho.
4. ● Te invito a pasar un fin de semana a una casa que tienen mis padres en la sierra.
   ▼ No puedo ir esta vez. Y lo siento de verdad.
5. ● ¿Te apetece que vayamos de fin de semana a Lisboa?
   ▼ Muchísimas gracias, pero no puedo. Es que tengo que terminar un trabajo para el lunes.
6. ● Les invito a todos a mi finca para pasar el fin de semana todos juntos.
   ▼ La verdad, yo preferiría otro fin de semana, es que para este ya tenía planes.
   ■ Fenomenal, ¡qué buena idea!
   ◆ Imposible, don Jesús, yo tengo billetes para ir con mi marido a París.
7. ● Os invito a todas a cenar mariscos.
   ▼ A mí no me apetece mucho cenar mariscos, pero si vais todas, iré.
   ■ Con mucho gusto.

Pista 25
DE TODO UN POCO. Actividad 4.
«Teatralia», se celebra en 64 escenarios y con más de 250 funciones desde hoy hasta el 29 de marzo. 16 de los 32 grupos de teatro, música, danza y circo que actúan son internacionales.
Este año el festival ofrece dos novedades para seguir ampliando su público. La primera de ellas es la traducción de las obras al lenguaje de signos para el público con discapacidad auditiva. La otra novedad es la inclusión de dos obras dirigidas específicamente a los adolescentes. *Mono Sapiens* analiza cómo es el mundo desde la mirada limpia e inocente de un simio y se basa en un texto de Kafka. Por su parte, *Callejón sin salida* expresa el sentir de la calle a ritmo de break. El resto de obras son variadas, desde el circo de los canadienses Les 7 doigts de la main y su espectáculo *Loft*, a la danza de Michi nu Sura y la compañía japonesa Kijimuna Dance o de la austriaca Dschungel Wien con Überraschung, pasando por los títeres de María Parrato, la música de Amores Grup de Percussió y el teatro para bebés de los andaluces La Sal Teatro.

Unidad 6: La diversidad es nuestra realidad

Pista 26
PRETEXTO. Actividad 1.
Pienso que todos debemos hacer un esfuerzo por la integración.
Es lógico que haya diversidad.
Es evidente que la sociedad española está cambiando.
Creo que las diferencias significan riqueza; no creo que sean un problema.

Pista 27
DE TODO UN POCO. Actividad 3 A.
1. ● Hay muchos jubilados extranjeros que pasan muchos meses anualmente en la costa mediterránea española.
   ▼ Sí, así es.
2. ● No es cierto que con la integración de los inmigrantes todos ganemos.
   ▼ No tienes razón, eso no es así.

3. ● Creo que las diferencias significan riqueza.
   ▼ Sí, eso es cierto.
4. ● La inmigración produce inseguridad ciudadana y marginalidad.
   ▼ Eso es falso.
5. ● Muchos españoles emigraron a Hispanoamérica a finales del siglo XIX y a principios del XX.
   ▼ Eso es verdad.
6. ● Es lógico que en nuestra sociedad haya diversidad.
   ▼ Sí, claro que sí.
7. ● No creo que la integración traiga problemas.
   ▼ No, estás equivocado.
8. ● Todas las personas tienen derecho a salir de cualquier país y a elegir su residencia en el territorio de un estado.
   ▼ Desde luego.

Pista 28
DE TODO UN POCO. Actividad 4.
● Hola, ¿cómo te llamas?
▼ Farda.
● ¿De dónde eres?
▼ Soy de Orán. Está en Argelia.
● ¿Qué curso estudias?
▼ Tercero de ESO.
● ¿Tuviste muchos problemas para adaptarte al colegio?
▼ Bueno, el primer día de clase no entendía nada. Fui a la secretaría, me presentaron al jefe de estudios que me enseñó el Instituto: el patio de recreo, la biblioteca, los servicios, las clases...
   Pero tengo que decir que las clases de español me ayudaron mucho a entender y a conocer gente.
   También las actividades de la tarde, porque me relacionaba con los españoles.
   Fuera de clase veía la tele, hablaba con la gente... ¡No importa que hables mal...! poco a poco vas aprendiendo a hablar español.
● Ya lo hablas perfectamente.
▼ Gracias. Ahora, ayudo a otros cuando llegan y me gusta mucho.

Bonifacio Ofogo es camerunés. Decidió viajar a España para completar sus estudios. Al principio le costó mucho comprender la manera de vivir de los españoles. Ahora Boni es un narrador de cuentos muy conocido en todo el mundo.

● Buenos días, Boni. Es un placer tenerte aquí con nosotros. ¿Cómo estás?

▼ Buenos días. Para mí es un honor estar en este programa. Estoy verdaderamente contento de poder presentaros mi nuevo libro.
● ¿De dónde eres?
▼ Soy de Omassa, una pequeña aldea a unos kilómetros de Yaundé, la capital de Camerún, en África.
● ¿Por qué viniste a España?
▼ Es una larga historia: en Camerún era muy buen estudiante y por eso conseguí una beca para estudiar en España, a principios de los años noventa.
● ¿Fue difícil adaptarte a la vida en España?
▼ Sí, las únicas referencias que tenía de Europa, eran de las lecturas y de las películas del colegio. No sabía qué había que hacer para hacer amigos, a quién pedir ayuda en caso de necesidad y mi español no era muy bueno...
● ¿Te sentiste muy solo?
▼ Un poco... en esos años había pocos africanos en Madrid. Al llegar al aeropuerto, el taxista me llevó a una pensión del centro que se llamaba «La Soledad». Era un mal comienzo, ¿verdad?
● Pero después, ¿cómo te convertiste en un cuentacuentos tan reconocido?
▼ Bueno, en mi país la tradición de contar cuentos es muy antigua. Mi abuelo, mi padre, ahora yo... Y empecé a contar cuentos africanos en colegios en España, para ganar un poco de dinero, luego me pidieron cuentos para adultos... y ahora es mi profesión desde hace muchos años.
● ¡Y ahora hablas perfectamente español!
▼ Creo que sí. Trabajo en español, educo a mis hijos en este idioma y mi mujer es española. Y cuento en español. Estoy bien en España ahora, pero al principio me sentía extraño. Demasiado alto, demasiado negro, demasiado solo.
   Y ahora intento ayudar a que los niños y las niñas de este país se acerquen más a África y entiendan otras maneras de vivir. Contar cuentos es algo que hacemos en todos los países del mundo y que nos une. No importa ni el color ni el origen cuando soñamos.
● Gracias, Boni. Es estupendo que hayas contestado a esta entrevista.
▼ Gracias a vosotros. Es un placer hablaros de las cosas bonitas de África. Se sabe muy poco de ella, todavía.

Repaso 3: *Unidades 5 y 6*

Pista 29
Actividad 3 A.
Existen muchas recetas de dulce de leche, aquí va la nuestra. Para la elaboración de este delicioso dulce se necesita:
- 1 litro de leche
- 200 gramos de azúcar blanca
- 1 cucharada de bicarbonato de sodio disuelto en media taza de agua
- Esencia de vainilla

En una olla de cobre se pone la leche y el azúcar.
Se hace a fuego lento y revolviendo constantemente.
Poco a poco se añade la mezcla de agua con bicarbonato y la vainilla.
Cuando el color «marrón» tradicional de este tipo de dulce aparece, se retira del fuego.

Pista 30
Actividad 3 B.
1. ● Os invito a cenar en un buen restaurante.
   ▼ ¡Qué bien! Muchas gracias.
   ■ Gracias, pero yo no puedo ir, tengo que quedarme con mi hermano pequeño.
2. ● Todas las personas tienen derecho a salir a cualquier país y a elegir su residencia en el territorio de un estado.
   ▼ Por supuesto. Es un derecho que todos tenemos o, por lo menos, esta es mi opinión.
3. ● ¿Podríamos vernos otro día? Hoy tengo mucho trabajo.
   ▼ Sí, no hay inconveniente.
4. ● Todos deberíamos pagar impuestos de una forma más justa.
   ▼ Tiene usted toda la razón.
5. ● Qué sabes de Laura?
   ▼ Desde que se fue a Nicaragua no he tenido noticias suyas.
6. ● Me voy a Japón a dar un curso. ¿Por qué no vienes conmigo?
   ▼ Me encantaría, pero el viaje es muy caro.